Anneli Billina / Susanne Geiger / Marion Techmer

Deutsch üben

Wortschatz & Grammatik B2

Hueber Verlag

Quellenverzeichnis:
Umschlagfoto: © Thinkstock/iStock/jacoblund

4. 3. 2. | Die letzten Ziffern
2022 21 20 19 18 | bezeichnen Zahl und Jahr des Druckes.
Alle Drucke dieser Auflage können, da unverändert,
nebeneinander benutzt werden.
1. Auflage

Umschlaggestaltung: Sieveking · Agentur für Kommunikation, München
Zeichnungen: Irmtraud Guhe, München
Layout und Satz: Sieveking · Agentur für Kommunikation, München
Verlagsredaktion: Sonja Ott-Dörfer und Katharina Zurek, Hueber Verlag, München
Druck und Bindung: Firmengruppe APPL, aprinta druck GmbH, Wemding
Printed in Germany
ISBN 978–3–19–427493-8

Art. 530_24459_001_02

Inhalt

Vorwort

Liebe Deutschlernende,

mit dem Band *deutsch üben* Wortschatz & Grammatik B2 können Sie den Wortschatz und die Grammatik der Niveaustufe B2 einüben und festigen. Wortschatz & Grammatik B2 behandelt alle wichtigen Themenbereiche, die für die Stufe B2 des *Gemeinsamen Europäischen Referenzrahmens* vorgesehen sind.

Sie finden darin
- vielfältige Übungen zu Wortschatz und Grammatik für mehr Sicherheit im täglichen Umgang mit der deutschen Sprache,
- authentische Situationen mit Dialogen und Textsorten aus dem Alltags- und Arbeitsleben,
- zahlreiche Grammatik-Tipps,
- praktische Lernwortschatz-Boxen,
- viele auflockernde Illustrationen und
- einen übersichtlichen Lösungsteil zur Selbstkontrolle.

Der vorliegende Band eignet sich
- zur Wiederholung und Vertiefung des Wortschatzes und der Grammatik der Niveaustufe B2,
- zur Vorbereitung auf B2-Prüfungen,
- zur Vorbereitung auf Alltag und Beruf in deutschsprachigen Ländern,
- zur Festigung und Erweiterung bereits vorhandener Sprachkenntnisse und zur Selbstevaluation.

Viel Erfolg mit *deutsch üben* Wortschatz & Grammatik B2!
Autorinnen und Verlag

Abkürzungen:

A	Varianten, die man in Österreich benutzt
CH	Varianten, die man in der Schweiz benutzt
Pl.	Plural
Akk.	Akkusativ
Dat.	Dativ
Gen.	Genitiv
Inf.	Infinitiv
Präp.	Präposition
ugs.	umgangssprachlich
etw.	etwas
jdm	jemandem
jdn	jemanden

Teil 1 Wortschatz

A Soziale Kontakte und Informationen zur Person

A1 Die perfekte Begrüßung

Ergänzen Sie. Achten Sie auf die korrekte Form.

betreten • Konvention • drücken • Vorgesetzter • Gruß erwidern • Kunde • förmlich • ~~Eindruck hinterlassen~~ • entscheiden • üblich (2-mal) • Hierarchie • salopp • Anwesende • Gegenüber • schlaff

Die perfekte Begrüßung

Sie wollen einen sympathischen (1) *Eindruck hinterlassen*? Dann begrüßen Sie Ihr Gegenüber formvollendet. Aber wer grüßt zuerst? Wie begrüßt man sich richtig? Wer gibt wem zuerst die Hand? Wir erklären Ihnen die wichtigsten (2) ____________.

Wer grüßt zuerst?

Der Ankommende grüßt die (3) ____________: Wenn Sie das Konferenzzimmer, den Empfangsraum oder Fahrstuhl (4) ____________, grüßen Sie die Person oder diejenigen, die schon im Zimmer oder Fahrstuhl sind. Im Privaten grüßt immer derjenige zuerst, der den anderen zuerst sieht.

Im Berufsleben muss die (5) ____________ beachtet werden. Der Mitarbeiter grüßt den (6) ____________ immer zuerst. Beim Business-Meeting begrüßen Sie zuerst die ranghöchste Person und dann die anderen Anwesenden. (7) ____________ und Geschäftspartner werden ebenfalls zuerst begrüßt.

Wie grüßt man?

Der in Deutschland allgemein (8) ____________ Gruß ist „Guten Tag." Im Berufsleben sagen Sie zum Beispiel: „Guten Tag, Frau Mayer." Bis 11 Uhr morgens können Sie „Guten Morgen." wünschen. Natürlich wird ein (9) ________ ____________. Erwidern Sie in ähnlichem Wortlaut: Für den (10) ____________ Gruß „Guten Tag." wäre die Erwiderung „Hallo." zu (11) ____________. Schauen Sie Ihrem Gegenüber beim Begrüßen immer in die Augen.

Der richtige Handschlag

Die ranghöhere Person (12) ______________________, ob sie neben der verbalen Begrüßung auch die Hand reicht. Beim ersten Kennenlernen von Kunden und Geschäftspartnern ist ein Handschlag zur Begrüßung immer (13) ____________. Beim Handschlag gibt man sich die rechte Hand und (14) ____________ die Hand des anderen – nicht zu fest, aber auch nicht zu (15) ____________ – und macht eine kurze, kleine Auf- und Abbewegung. Während des Händegebens schaut man seinem (16) ________________ immer in die Augen und lächelt. Die andere Hand ist dabei nicht in der Hosentasche.

A2 Verabschiedung und Informationsaustausch

Was passt nicht? Streichen Sie.

1. Man kann sich zum Abschied … .
   umarmen – ~~vorstellen~~ – die Hand geben – zuwinken
2. Man kann den Kontakt zu jemandem … .
   austauschen – aufnehmen – herstellen – aufrechterhalten
3. Man kann einen Vorschlag … .
   bejahen – meinen – ablehnen – annehmen
4. Man kann einem Vorschlag … .
   zustimmen – widersprechen – zuhören – erwidern
5. Man kann Informationen … .
   austauschen – sammeln – bitten – bekannt geben – weitergeben
6. Man kann von einem Treffen … .
   erzählen – erklären – berichten – sprechen

Wichtige Wörter und Wendungen

die Anwesende (-n) • die Hierarchie (-n) • die Konvention (-en) • der Vorgesetzte (-n) ■ betreten ■ förmlich • salopp • schlaff • (allgemein) üblich ■ den Kontakt aufrechterhalten • die Hand reichen • einen Eindruck hinterlassen • einen Gruß erwidern • einen Vorschlag bejahen

A3 Visitenkarten

Ergänzen Sie. Achten Sie auf die korrekte Form.

etabliert • Gastgeber • Austausch • Messekontakt • Blickkontakt • überreichen • ~~Begrüßungsritual~~ • dauern • Small Talk • Unternehmen • keinesfalls • angemessen • es gilt zu beachten

Visitenkarten richtig überreichen und entgegennehmen

Bei Geschäftstreffen ist der Austausch von Visitenkarten ein wichtiges (1) *Begrüßungsritual*. Aber wie und wann (2) __________ ich die Visitenkarte richtig? Und wie reagiere ich (3) __________, wenn ich eine Karte entgegennehme? Karriereberaterin Marion Umbreit nennt Ihnen (4) __________ Knigge-Regeln.

Wann?

Die Visitenkarte überreicht man bei Geschäftstreffen in der Regel nach der Begrüßung und einem kurzen (5) __________. Ihr Geschäftspartner sieht dann gleich noch einmal Ihren Namen und Ihre Funktion im (6) __________. Bei (7) __________ wird die Karte am Ende des Gespräches überreicht.

Wer?

In der Regel gibt der Gast seine Karte zuerst. Dann überreicht der (8) __________ seine Karte im (9) __________. Bei Gruppenmeetings (10) ______ ____ wie immer, die Hierarchie ____ __________: Die ranghöchste Person, zum Beispiel der Teamleiter, überreicht die Karte als Erstes.

Wie?

Überreichen Sie die Karte mit einer Hand und halten Sie dabei (11) __________. Wenn Sie eine Karte überreicht bekommen: Schauen Sie die Karte so lange an, wie es (12) __________, bis man die Karte gelesen hat und merken Sie sich den Namen. Verstauen Sie die Visitenkarte dann sorgfältig, also (13) __________ in der Hosentasche.

A4 Titel, Geburtsname, Spitzname ...

Ergänzen Sie. Achten Sie auf die korrekte Form.

geborene • Zuname • Kosename • Spitzname • Initialen • Geburtsname • ~~Betreuer~~ • Doktortitel • beliebt • Wert auf (etwas) legen • Mädchenname • annehmen

1. ■ Ich habe morgen ein Gespräch mit dem *Betreuer* meiner Bachelorarbeit. Meinst du, ich muss ihn mit seinem ______________ ansprechen?
   ● Na klar, das solltest du machen. Wenn er keinen ________ ______ seinen Titel _______, wird er es dir sagen.
2. ______________ deutsche ______________ von Männern für Frauen sind *Schatz, Schatzi, Liebling, Engel, Spatz, Mausi, Süße und Zuckerschnecke.*
3. Ich heiße Lea Müller. Vor meiner Heirat hieß ich mit Nachnamen Hofmeister. Hofmeister ist mein ______________. Früher sagte man zum Geburtsnamen auch ______________. Da Männer bei der Heirat auch den Namen der Frau ______________ können, ist das Wort heute nicht mehr gebräuchlich. Wenn man in Formularen den Geburtsnamen angeben soll, steht dort manchmal „______________".
4. Er heißt mit Vornamen Hans-Peter. Seine Freunde nennen ihn aber alle nur Mucks, obwohl er diesen ______________ *(CH: Übernamen)* nicht mag.
5. ● Wieso sind auf den alten weißen Kopfkissen die Buchstaben EU gestickt?
   ■ Das sind die ______________ deiner Großmutter. Sie hieß Elly Uhde.
6. ● Was bedeutet denn ___________?
   ■ Das ist nur ein anderes Wort für Nachname *(A: Familienname)*.

Wichtige Wörter und Wendungen

die Beraterin (-nen) • der Betreuer (-) • der Gastgeber (-) • der Geburtsname (-n) • die Initialen *(Pl.)* • der Kosename (-n) • das Ritual (-e) • der Small Talk (-s) • der Spitzname (-n) • die Visitenkarte (-n) • der Zuname (-n) ■ annehmen • entgegennehmen • überreichen ■ angemessen • etabliert • sorgfältig ■ es gilt zu beachten • Wert auf etw. *(Akk.)* legen

A5 Allgemeine Dokumente und Formulare

Ergänzen Sie. Achten Sie auf die korrekte Form.

lediglich • Anmeldebestätigung • Teilnahmebestätigung • ~~ausweisen~~ • Gebühren erstatten • Druckbuchstabe • Anmeldeformular • zweifellos • amtlich

1. Sie können sich nicht mit Ihrem Führerschein ausweisen. Ein Ausweis im rechtlichen Sinn ist eine a_____ Urkunde, mit der sich der Inhaber z_____ identifizieren lässt. Dazu zählen in Deutschland l_____ der Personalausweis und der Reisepass.
2. ■ Wenn Sie dann bitte das A_____ ausfüllen. Schreiben Sie bitte in D_____.
   ● Hätten Sie bitte einen Stift für mich?
3. ● Es tut mir leid, wir stellen generell keine A_____ aus.
   ■ Ich brauche aber eine Bestätigung für die Krankenkasse, weil mir dann ein Teil der G_____ e_____ wird.
   ● Eine T_____ erhalten Sie am Ende des Kurses.

widerrufen • Aufenthaltsgenehmigung • Bearbeitungsgebühr • ändern • Namen führen • beantragen • Finanzamt • anfertigen • gewähren • Steuer

4. Mit Ihrer A_____ können Sie die Arbeitsgenehmigung b_____.
5. ● Bis wann muss ich meine St_____ für 2016 bezahlen?
   ■ Sie müssen Ihre Steuererklärungen bis zum 31. Mai 2017 beim Finanzamt ei_____. Wenn ein Steuerberater Ihre Erklärung a_____, g_____ das F_____ eine Frist bis zum Jahresende 2017.
6. ● Kann ich meinen Doppelnamen *Müller-Gümbel* ä_____ und nur den N_____ *Müller* f_____?
   ■ Sie können die Führung des Doppelnamens jederzeit w_____. Sie müssen dazu nur die Eheurkunde vorlegen und eine B_____ entrichten.

A6 Dokumente bei Bewerbung und Immatrikulation

Ergänzen Sie. Achten Sie auf die korrekte Form.

Immatrikulation • ~~Deckblatt~~ • vorherig • Lebenslauf • bevollmächtigt • ist ... vorzunehmen • überweisen • Nachweis ist zu führen • Anschreiben • Kopie

1. Du musst für deine Bewerbung ein _Deckblatt_ mit Foto erstellen sowie ein ________________ und einen ________________. Von deinen Zeugnissen musst du auch __________ machen und sie beilegen.
2. Die Einschreibung (________________) erfolgt in der Studentenkanzlei *(A: Studienabteilung)* nach ________________ Bewerbung an der Universität. Sie _____ möglichst persönlich, in Ausnahmefällen durch eine ________________ Person oder schriftlich, in der Studentenkanzlei der Universität, ________________.
3. Vor der Immatrikulation müssen Sie die Semesterbeiträge ________________. Der ________________ der Einzahlung _____ durch einen Kontoauszug oder durch eine vom Bankinstitut unterschriebene Einzahlungsquittung ____ ________________.

A7 Personalien und Familienstand

Was passt nicht? Streichen Sie.

1. Ihr Kind ist .... minderjährig – ~~gebürtig~~ – volljährig
2. Familienstand: Er ist .... verwitwet – Witwe – Witwer
3. Familienstand: Sie ist .... ledig – verlobt – verheiratet – kinderlos

Wichtige Wörter und Wendungen

die Anmeldebestätigung (-en) • das Anschreiben (-) • das Deckblatt (¨er) • der Druckbuchstabe (-n) • das Finanzamt (¨er) • die Frist (-en) • die Immatrikulation (-en) • der Lebenslauf (¨e) • die Steuer (-n) • die Witwe (-n) ■ anfertigen • ausweisen • beantragen • einreichen • gewähren • immatrikulieren • unterzeichnen • widerrufen ■ amtlich • gebürtig • kinderlos • minderjährig • verlobt • volljährig • vorherig ■ eine Bearbeitungsgebühr entrichten • eine Frist gewähren • einen Namen führen • Gebühren erstatten

A8 Körperbau

Ergänzen Sie.

hager • mager • korpulent • dürr • Statur • ~~Kompliment~~ • vollschlank • kräftig • übergewichtig • füllig

Es ist logischerweise kein (1) Kompliment, wenn man über oder zu jemandem sagt „Er ist dick." bzw. „Du bist dick." Freundlicher ausgedrückt sagt man: „Frau Schneider ist etwas (2) ü________." oder „Sie ist etwas (3) f________ geworden." oder „Sie ist (4) v________." Man könnte auch sagen: „Er ist (5) k________.", „... hat eine kräftige (6) St________" oder „... ist etwas (7) k________."

Wenn jemand sehr dünn und (8) m________ ist, ist es höflich zu sagen: „Sie ist sehr schlank.", „Sie ist (9) h________." oder „Du bist aber sehr dünn geworden." Negativ ausgedrückt wäre: „Sie ist (10) d________."

A9 Erscheinungsbild: Haare, Bärte, Kleidung

Was passt nicht? Streichen Sie.

1. Sie hat ...
   einen Zopf. – einen Pferdeschwanz. – eine Perücke. – ~~einen Vollbart.~~
2. Er hat einen ...
   Dreitagebart. – Vollbart. – Oberlippenbart. – Brille.
3. Seine Kleidung ist ...
   schmutzig. – schmuddelig. – zerknittert. – elegant.
4. Ihre Kleidung ist ...
   schick. – unmodern. – modisch. – elegant.

Wichtige Wörter und Wendungen

der Dreitagebart (-̈e) • das Kompliment (-e) • die Perücke (-n) • der Pferdeschwanz (-̈e) • die Statur (-en) • das Übergewicht • der Vollbart (-̈e) • der Zopf (-̈e) ■ dürr • füllig • hager • korpulent • modisch • schmuddelig *(ugs.)* • unmodern • übergewichtig • vollschlank • zerknittert ■ logischerweise

A10 Wörter für eine Personenbeschreibung

Was passt nicht? Streichen Sie.

1. **Person**: Frau/Mann – Dame/Herr – ~~Gespenst~~ – Baby – Kind – Teenager – Jugendliche/Jugendlicher – Seniorin/Senior – Greis
2. **Größe**: geschätzt 164 cm – riesig – groß – klein – zierlich – winzig
3. **Alter**: jung – jugendlich – Person mittleren Alters – alt – betagt – blass
4. **Figur**: schlank – dünn – glatt – hager – untergewichtig – zierlich – muskulös – breitschultrig – dick – korpulent – mollig – übergewichtig
5. **Haut**: glatt – faltig – blass – schlank – hell – dunkel
6. **Haare**: blond – braun – schwarz – grau – gefärbt – blass – glatt – gewellt – gelockt – schütter – fettig – Glatze
7. **Gesicht**: modisch – kantig – rundlich – schmal – faltig
8. **Augen**: blau – grün – braun – dunkel – blond – Kulleraugen
9. **Nase**: schmal – breit – lang – abstehend – krumm – spitz
10. **Mund**: breit – zierlich – schmal – schmale Lippen – wulstige Lippen
11. **Ohren**: faltig – klein – groß – abstehend
12. **Besondere Kennzeichen/Merkmale**: Narbe – Muttermal – Brille

A11 Aussehen

Ergänzen Sie das Gegenteil. Es gibt einen Lesetrick.

1. Die Haare sind gekämmt. ⟷ Die Haare sind (tmmäkegnu) ungekämmt.
2. Die Haare sind zerzaust. ⟷ Die Haare sind (tug treisirf) _____ ___________.
3. Er hat schütteres Haar. ⟷ Er hat (sethcid) ___________ Haar.
4. Er hat ein gepflegtes Äußeres. ⟷ Er hat ein (setgelfpegnu) ___________________ Äußeres.
5. Sie ist elegant gekleidet. ⟷ Sie ist (regel) ________ gekleidet.

Wichtige Wörter und Wendungen

das Gespenst (-er) • die Glatze (-n) • der Greis (-e) • das Merkmal (-e) • die Narbe (-n) • der Teenager (-) ■ betagt • breitschultrig • faltig • gekämmt • gelockt • geschätzt • gewellt • krumm • leger • mollig • muskulös • schütter • winzig • zerzaust • zierlich ■ Person mittleren Alters

A12 Charakter und Eigenschaften

Ergänzen Sie. Achten Sie auf die korrekte Form.

Charakter • Eigenschaft • distanziert • attraktiv • eingebildet • egoistisch • begabt • unbeliebt • ~~beliebt~~ • Talent • Veranlagung • geduldig • schlecht gelaunt • gut gelaunt • hingegen • treu • anpassungsfähig • belastbar

1. Alle Schüler mögen die Englischlehrerin Frau Printz. Sie ist bei den Schülern sehr *beliebt*. Die Informatiklehrerin, Frau Straßer, *h*________, ist streng und *u*________.
2. Simon liebte seine Grundschullehrerin *(A: Volksschullehrerin, CH: Primarschullehrerin)* Frau Bürgel. Sie war immer sehr *g*________, behandelte alle Schüler gleich und gerecht und war immer *g*____ *g*________.
3. Amelie spielt wirklich sehr gut Geige. Sie hat *T*________. Ihr kleiner Bruder spielt Klavier und ist auch sehr *b*________. In der Familie Wall haben alle eine musische *V*________.
4. Chantal glaubt, dass sie sehr hübsch ist. Sie ist ganz schön *ei*________.
5. Du hast den Kuchen aufgegessen ohne zu fragen, ob noch jemand was will. Mann, bist du *e*________!
6. Schau mal die Kontaktanzeige: *A*________ blonde Ärztin, tolle Figur, sportlich, 37 J., 1,82 m, starker *Ch*________, sucht *t*________, ehrlichen Partner. Die sollten wir Peter mal mailen.
7. Mit der neuen Chefin kommt er nicht gut zurecht. Sie ist ihm zu *d*________.
8. ■ Welche *Ei*________ sollte der Stellenbewerber mitbringen?
   ● Er sollte erfahren, *b*________, vom Wohnort flexibel und *a*________ sein.
9. Sprich ihn am besten heute nicht an. Er ist total *sch*________ *g*________.

Wichtige Wörter und Wendungen

der (Stellen-)Bewerber (-) • der Charakter • die Eigenschaft (-en) • das Talent (-e) ■ anpassungsfähig • attraktiv • belastbar • (un-)beliebt • distanziert • egoistisch • eingebildet • geduldig • treu ■ hingegen ■ gut gelaunt • schlecht gelaunt

A13 Wie ist er denn?

Ergänzen Sie das Gegenteil.

unsensibel • aufgeregt • progressiv • brav • intolerant • ~~feige~~ • zurückhaltend • rücksichtslos

1. Er ist mutig. ⟷ Er ist *feige*.
2. Er ist sehr rücksichtsvoll. ⟷ Er ist sehr ________.
3. Er wirkt sehr ruhig. ⟷ Er wirkt sehr ________.
4. Er ist wirklich tolerant. ⟷ Er ist wirklich ________.
5. Er ist sensibel. ⟷ Er ist ________.
6. Der Junge *(A: Bub)* ist wirklich frech. ⟷ Der Junge ist wirklich ________.
7. Er ist sehr kontaktfreudig. ⟷ Er ist sehr ________.
8. Er ist konservativ. ⟷ Er ist ________.

A14 Dumm wie Bohnenstroh, schlau wie ein Fuchs ...

Ergänzen Sie.

stur • ~~dumm~~ • mutig • schlau • frech • sanft

1. Sie kann nicht ausrechnen, wie viel das kostet? Mann, die ist ja *dumm* wie Bohnenstroh!
2. Du kannst ihn nicht überreden. Er kann ________ sein wie ein Bock.
3. Sie lässt sich nicht provozieren. Sie ist eigentlich immer ________ wie ein Lamm.
4. Du wirst sehen, er schafft es! Er ist ________ wie ein Fuchs.
5. Er hatte keine Angst und verteidigte sich. Er war ________ wie ein Löwe.
6. Sie haben den Jungen nicht erzogen. Es ist unverschämt und ________ wie Oskar.

Wichtige Wörter und Wendungen

aufgeregt • brav • feige • kontaktfreudig • progressiv • rücksichtslos • rücksichtsvoll • (in-)tolerant • zurückhaltend ■ dumm wie Bohnenstroh • frech wie Oskar • mutig wie ein Löwe • sanft wie ein Lamm • schlau wie ein Fuchs • stur wie ein Bock

B Persönliche Beziehungen und Kommunikation

B1 Alte Bekannte und neue Bekanntschaften

Ergänzen Sie. Achten Sie auf die korrekte Form.

sich einleben • vermissen • einen netten Eindruck machen • eng befreundet • Bekannte • ~~sich melden~~ • Umzug • Nachbarschaft • Umzugskarton • Freundschaft schließen • Bekanntschaft • Spielkamerad • seinen Einstand geben

An: bärbel.richter@web-online.de
Von: marion64.techmer@online.de
Betreff: Hallo aus München

Hallo ihr Lieben,

sorry, dass ich (1) *mich* erst heute bei euch *melde*. Unser (2) ________ *(A: unsere Übersiedlung)* hat gut geklappt, auch wenn es im Moment noch viele (3) ________________ zum Auspacken gibt. Wir haben (4) ______ schon einigermaßen ______________. Ich habe zufällig eine alte (5) ______________ im Supermarkt getroffen, mit der ich in der Grundschule *(A: Volksschule, CH: Primarschule)* (6) ______ ______________ war. Durch sie habe ich schon ein paar neue (7) ____________________ geschlossen. Paula ist manchmal noch ein bisschen traurig, da sie ihre Freundinnen sehr (8) ______________. Die Kinder in ihrer Klasse (9) __________ alle ________ ________ ________. Sie hat sogar schon (10) ____________________ mit Klassenkameradinnen ______________. In der (11) ____________________ gibt es sehr viele Kinder, sodass Simon meistens (12) ____________________ findet und es ihm nicht langweilig wird. Morgen (13) _______ ich __________ __________ in meiner neuen Arbeit. Besucht uns bald!

Alles Liebe
Marion

Wichtige Wörter und Wendungen

die Bekannte (-n) • die Bekanntschaft (-en) • der (Spiel-)Kamerad (-en) • die Nachbarschaft • der Umzug (¨-e) • der Umzugskarton (-s) ■ sich einleben ■ einigermaßen ■ einen netten Eindruck machen • Freundschaft schließen (mit jdm) • seinen Einstand geben

Nichts geht über Beziehungen!

Ergänzen Sie. Achten Sie auf die korrekte Form.

einen Freundschaftsdienst erweisen • Netzwerke knüpfen • ~~sich nahestehen~~ • ein vertrautes Verhältnis haben • Kontakte pflegen • Diskretion wahren • lästern • sich gegenseitig unterstützen • Beziehungen spielen lassen • miteinander auskommen • sich gut stellen • zurechtkommen • anvertrauen

1. Lisa und ich sind alte Schulfreundinnen. Wir *stehen* *uns* sehr *nahe*.
2. Sie sind schon lange Kollegen und h________ ei____ v____________ V____________ zueinander.
3. Er hat auch deshalb großen beruflichen Erfolg, weil er gute N____________ g__________ h____ und viel Zeit investiert, um K__________ zu pf__________.
4. Er hat mir den Kontakt vermittelt und mir damit ei______ großen F________________________ e__________.
5. □ Theo verkünstelt sich schon wieder bei der Präsentation!
   ● L________ nicht so. Er bewirbt sich für die Assistentenstelle und muss s____ mit der Chefin g____ st__________.
6. Leider u______________ sie s____ nicht g______________.
   Sie behandeln sich nicht als Partner, sondern als Konkurrenten.
7. ■ K______ ihr gut m______________ a____?
   ○ Es geht so. Mit dem letzten Betreuer b____ ich besser z__________________.
8. Er musste seine B______________ sp__________ l________, damit sein Sohn die Stelle bekam.
9. Sie w______ nicht immer D____________. Ich würde ihr nichts Privates a______________.

Wichtige Wörter und Wendungen

anvertrauen • lästern • miteinander auskommen • sich nahestehen • sich unterstützen • zurechtkommen (mit + *Dat.*) ■ Diskretion wahren • einen Freundschaftsdienst erweisen • ein vertrautes Verhältnis haben • Netzwerke knüpfen • sich gut stellen mit jdm

B3 Tratsch um Liebe und Partnerschaft

Ergänzen Sie. Achten Sie auf die korrekte Form.

~~zusammen sein~~ • Single sein • Verhältnis • mein Typ sein •
eine feste Beziehung haben • befreundet sein • gernhaben

1. ○ Matthias redet die ganze Zeit mit einer Frau. _Ist_ er mit ihr _zusammen_?
   ■ Nein, er _____ mit ihr nur _________________.
2. ■ Raphael sitzt dahinten ganz alleine. _____ er denn immer noch __________?
   ○ Er _____ schon länger _______ ________ _______________. Seine Freundin wohnt aber in Berlin.
3. ■ Du bist in ihn verliebt!
   ○ Quatsch, ich _______ ihn nur sehr _______. Er _____ überhaupt nicht _______ _____.
4. ○ Er hat doch schon seit Jahren eine Beziehung mit seiner Sekretärin.
   ■ Und seine Frau weiß nichts von dem _________________?
   ○ Glaube ich nicht.

B4 Er hat ihr den Kopf verdreht

Ordnen Sie die Redewendung ihrer Bedeutung zu.

1. Er ist verknallt in sie. [b]
2. Sie hat ihn abblitzen lassen. [ ]
3. Sie hat Schmetterlinge im Bauch. [ ]
4. Sie ist noch zu haben. [ ]
5. Er macht ihr schöne Augen. [ ]
6. Er hat ihr den Kopf verdreht. [ ]

a. Sie hat keinen Freund.
~~b.~~ Er ist in sie verliebt.
c. Er flirtet mit ihr.
d. Sie ist nicht auf seinen Flirt eingegangen.
e. Er hat es geschafft, dass sie sich in ihn verliebt hat.
f. Sie ist total verliebt.

Wichtige Wörter und Wendungen

der Flirt (-s) • das Verhältnis (-se) ■ flirten • zusammenleben ■ befreundet sein • jdn abblitzen lassen *(ugs.)* • jdm den Kopf verdrehen • jdm schöne Augen machen • (nicht) mein Typ sein • noch zu haben sein • verknallt sein in jdn *(ugs.)* • zusammen sein

B5 Verliebt, verlobt ...

Ergänzen Sie. Achten Sie auf die korrekte Form.

Verlobung • Eheversprechen abgeben • aufheben • ~~Brauch~~ • Brauteltern • gelten • verpflichten • ausreichen • Kosten tragen • eingetragene Partnerschaft • Spesen • nötig

Die Verlobung ist ein traditioneller (1) Brauch vor der Hochzeit. Früher war die (2) __________ das Versprechen, innerhalb eines Jahres zu heiraten. Wer ein (3) __________ __________ hat, (4) ______ als verlobt. Zeugen sind dafür nicht (5) ________, auch kein Verlobungsring. Ursprünglich war es so, dass die Verlobungsfeier bei den (6) __________ stattfand oder diese die (7) ________ für eine Feier im Lokal ________. Heutzutage teilen sich die Familien die (8) ________ einer Verlobungsfeier. Eine Verlobung (9) __________ weder zur Ehe noch zu einer (10) __________ __________. Eine Verlobung lässt sich ebenso leicht (11) __________, wie sie geschlossen wurde. Wenn man sagt, dass man es sich anders überlegt hat, (12) ________ das ______.

B6 ... verheiratet

Ordnen Sie zu.

1. das Standesamt [c]
2. der Polterabend [ ]
3. der Junggeselle [ ]
4. der Trauzeuge [ ]
5. die Flitterwochen [ ]

a. die Reise, die Frischvermählte nach der Hochzeit machen
b. Eine Feier am Abend vor der Hochzeit. Es soll Glück bringen, dabei Geschirr zu zerschlagen.
~~c.~~ die Behörde, in der man die Ehe schließt
d. ein Mann, der ledig ist
e. jemand, der bei der Trauung als Zeuge anwesend sein muss

Wichtige Wörter und Wendungen

der Brauch (¨-e) • die Brauteltern *(Pl.)* • die Flitterwochen *(Pl.)* • der Junggeselle (-n) • der Polterabend (-e) • die Spesen *(Pl.)* • der Trauzeuge (-n) • die Verlobung (-en) ■ eine Verlobung aufheben • ein (Ehe-)Versprechen (ab)geben • eingetragene Partnerschaft • Kosten tragen

B7 Der aggressive Vorgesetzte: Tipps vom Psychologen

Ergänzen Sie. Achten Sie auf die korrekte Form.

unsicher • aggressiv • ~~Psychologe~~ • Dankbarkeit • Vorgesetzte • unerträglich • Aufgaben bewältigen • Selbstbewusstsein • inkompetent

□ Wir hatten ein Gespräch mit einem (1) _Psychologen_, weil unser Chef oft sehr (2) __________ und das Arbeitsklima (3) __________ ist.

● Und was hat der Psychologe dazu gesagt?

□ Er meinte, dass sich manche (4) __________ zu ihren Mitarbeitern aggressiv verhalten, weil sie (5) __________ sind und Angst haben, ihre (6) __________ nicht zu __________.

● Der (7) __________ Chef. Na super. Und wie sollt ihr euch nun verhalten?

□ Wir sollen versuchen, unserem Chef Anerkennung und (8) __________ entgegenzubringen, das würde seinem (9) __________ schmeicheln.

B8 Verhalten im Job

Ergänzen Sie. Achten Sie auf die korrekte Form.

Kontakte knüpfen • Feigling • ~~sich trauen~~ • schüchtern • sich einsetzen für • zögern

1. Er _traute_ _sich_ nicht, die Chefin auf ihren Fehler hinzuweisen. Was für ein __________!
2. Die Kollegin __________ ein wenig, bevor sie dem Vorschlag zustimmte.
3. Unser früherer Chef hat ______ immer ______ uns __________ und uns unterstützt.
4. Die Auszubildende war sehr __________ und zurückhaltend und hatte Schwierigkeiten, neue __________ zu __________.

Wichtige Wörter und Wendungen

der Feigling (-e) • der Psychologe (-n) • das Selbstbewusstsein ■ sich einsetzen (für + *Akk.*) • sich trauen • zögern ■ aggressiv • schüchtern • unerträglich • unsicher ■ Aufgaben bewältigen • Kontakte knüpfen

B9 Guter Schreibstil? Tipps für Ihre Korrespondenz

Ergänzen Sie. Achten Sie auf die korrekte Form.

Date • Fahrtkosten berechnen • Ersatzteil • im Passiv stehen • ~~Korrespondenz~~ • unpersönlich • in Rechnung stellen • vermeiden • derselbe • dadurch • vermeidbar • besser als • überflüssig • unsinnig • unnötig • optimal • Wendung • checken

Guter Schreibstil: Was können Sie tun, damit Ihre (1) Korrespondenz **Ihre Kunden anspricht? Beachten Sie folgende Tipps:**

(2) V__________ **Sie das Passiv:**
„Die Ersatzteile werden Ihnen nächste Woche geliefert." Dieser Satz (3) st__________ i__ P__________. „Wir schicken Ihnen nächste Woche die Ersatzteile." Das ist (4) d__________ Satz im Aktiv. Der Satz im Passiv sagt dem Leser nicht, wer die (5) E__________ verschickt. Der Satz wirkt (6) unp__________. Der Aktivsatz gibt diese Information und wirkt (7) d__________ persönlicher.

Verben sind (8) b__________ a__________ **Substantive:**
„Wir (9) st__________ Ihnen Fahrtkosten nicht i__ R__________." Dieser Satz enthält ein (10) v__________ Substantiv. „Wir (11) b__________ keine F__________." Das ist derselbe Inhalt ohne die (12) W__________ „in Rechnung stellen". Dieser Satz ist verständlicher. Deshalb: Vermeiden Sie (13) unn__________ Substantivierungen.

Weitere Tipps:
Bilden Sie keine (14) ü__________ Superlative: Wörter wie beispielsweise „absolut", „optimal" und „ideal" sind inhaltlich die Höchststufe. Es ist deshalb (15) uns__________, aus ihnen Superlative zu bilden. Also nicht: „Das ist die optimalste Lösung." Sondern: „Das ist die (16) o__________ Lösung." Oft ist ein Fremdwort das passende Wort. Vermeiden Sie aber überflüssige Anglizismen. Also besser: „eine Verabredung" statt „ein (17) D__________" haben, „etwas überprüfen" statt „(18) ch__________" usw.

Wichtige Wörter und Wendungen

das Ersatzteil (-e) • die Wendung (-en) ■ checken *(ugs.)* ■ optimal • überflüssig • unnötig • vermeidbar ■ (Fahrt-)Kosten berechnen • im Aktiv/Passiv stehen • in Rechnung stellen

B10 Wie heißt diese Art zu sprechen?

Ergänzen Sie. Achten Sie auf die korrekte Form.

murmeln • stammeln • jammern • ~~nuscheln~~ • tuscheln • seufzen • flüstern • lispeln • vorsagen

1. Er spricht undeutlich, weil er den Mund beim Sprechen kaum bewegt: Er *nuschelt*.
2. Sie sprach stockend, weil sie Angst hatte und aufgeregt war: Sie ______________.
3. Sie sprechen sehr leise, damit die anderen sie nicht hören können: Sie ______________.
4. Opa sprach leise und undeutlich etwas vor sich hin: Er ______________ etwas.
5. Die Mädchen unterhielten sich heimlich und flüsternd. Sie ______________.
6. Sie ist unzufrieden und erzählt anderen immer davon: Sie ______________ ständig.
7. Sie machte beim Ausatmen einen Laut, der ihren Kummer und ihre Sorgen ausdrückte: Sie ______________.
8. Er hat seinem Kommilitonen *(A: Studienkollegen)* die Lösung zugeflüstert: Er hat ihm die Lösung ______________.
9. Er stieß beim Sprechen immer mit der Zunge an die Vorderzähne: Er ______________.

B11 Plaudern, petzen, prahlen ...

Ergänzen Sie. Achten Sie auf die korrekte Form.

plaudern • prahlen • petzen • ~~vortragen~~ • stottern • quasseln

1. Er *trug* sein Referat selbstbewusst *vor* und war überhaupt nicht nervös.
2. Die Nachbarinnen standen am Gartenzaun und ______________ miteinander.
3. Du ______________ jetzt schon eine Stunde mit deiner Freundin, jetzt mach mal Schluss.
4. Oli ______ ______________, dass sein Banknachbar die Hausaufgaben nicht gemacht hat.
5. Er ______________ gern mit seinen Erfolgen, er ist ein richtiger Angeber.
6. Sie war bei ihrem Vortrag so aufgeregt, dass sie anfing zu ______________.

Wichtige Wörter und Wendungen

flüstern • jammern • lispeln • murmeln • nuscheln • petzen • plaudern • prahlen • quasseln *(ugs.)* • seufzen • stammeln • stottern • tuscheln • vorsagen • vortragen

B12 Lautes Sprechen und Schimpfen

Ergänzen Sie. Achten Sie auf die korrekte Form.

~~schimpfen~~ • befehlen • stöhnen • nörgeln • quengeln • jubeln • johlen • zetern • grölen • brüllen • kreischen

1. Wir sollten pünktlich zum Abendessen nach Hause kommen, sonst schimpft deine Mutter wieder.
2. Der Sänger betrat die Bühne und die Mädchen k__________ völlig hysterisch.
3. Der Junge *(A: Bub)* hatte sich vermutlich das Bein gebrochen und st__________ vor Schmerzen.
4. Als Deutschland Fußballweltmeister wurde, hörte man die Fans überall j__________.
5. Die Kleine qu__________ (*A: sekkierte ihre Mama*) an der Supermarktkasse, bis sie endlich die Süßigkeiten bekam, die vor der Kasse lagen.
6. Der Mann b__________ seinem Dackel „Hierher!", aber er kam nicht.
7. Bei der lauten Musik in der Kneipe *(A: im Beisl)* musste man fast b__________, um sich zu unterhalten.
8. Die Betrunkenen g__________ auf der Straße.
9. Die alte Dame z__________ mit schriller Stimme am geöffneten Fenster, weil die Kinder im Hof spielten.
10. Die Fußballfans freuten sich über den Sieg und liefen j__________ und singend die Leopoldstraße entlang.
11. Susi n__________ immer über das Essen in der Kantine, egal was es gibt.

Wichtige Wörter und Wendungen

befehlen • brüllen • grölen *(ugs.)* • johlen • jubeln • kreischen • nörgeln • quengeln *(ugs.)* • schimpfen • stöhnen • zetern

C Wohnen und Alltag

C1 Zimmersuche

Ergänzen Sie. Achten Sie auf die korrekte Form.

auf der Hand liegen • anteilig • dazugehörig • erschwinglich • frühzeitig • komfortabel • pendeln • Wohnungsangebot • Untermieter • verhältnismäßig • Wohngemeinschaft • Wohnungsnotstand • ~~zahlreich~~ • Anspruch • begehrt

Kurz vor Semesterbeginn sind wieder (1) *zahlreiche* Studenten auf der Suche nach einer (2) ________________ Unterkunft. Bis sie etwas Bezahlbares gefunden haben, (3) ____________ sie längere Strecken oder schlafen bei Freunden auf dem Sofa. (4) ________________ und überteuerte Mieten sind nichts Neues.

Wie ein Student wohnt, wird von mehreren Faktoren beeinflusst, wie z. B. dem (5) ________________ in der Stadt, den finanziellen Möglichkeiten und nicht zuletzt den eigenen Vorstellungen und (6) ________________. Wer am Heimatort studieren kann, bleibt oft im „Hotel Mama". Die Vorteile (7) ____________ ________ ______ ________: keine Mietkosten sowie Wäsche und Essen inklusive. Will man dagegen einen der (8) ________________ Wohnheimplätze ergattern, muss man sich (9) ________________ anmelden und auf sein Glück hoffen. Man wohnt in Einzelzimmern oder WG-Zimmern, die vielleicht nicht besonders (10) ________________ sind, aber wenig kosten. Am teuersten ist es auf dem freien Wohnungsmarkt. Deswegen sind auch da (11) ______________________ beliebt. Man teilt sich eine Wohnung, benutzt Küche und Bad zusammen und zahlt (12) ____________ Miete. Seit einigen Jahren interessieren sich immer mehr Studenten für eine Mehrgenerationen-WG. Sie beziehen als (13) ______________ ein Zimmer bei einer älteren Dame oder einem älteren Herrn, zahlen eine (14) ____________________ geringe Miete und helfen da, wo es im Alltag nötig ist, z. B. beim Einkaufen oder im Garten. Den Traum von der eigenen Wohnung mit den (15) ___________________ Freiheiten können sich die wenigsten Studenten leisten.

C2 Studentische Wohnformen

Was gehört zusammen? Ordnen Sie zu.

1. Die Plätze in Studentenwohnheimen
2. Im „Hotel Mama" zu wohnen
3. Die Studenten-WG
4. Die Mehrgenerationen-WG
5. Das möblierte Zimmer zur Untermiete
6. Eine eigene Wohnung

a) ist praktisch, wenn man nur für eine bestimmte Zeit eine Unterkunft sucht.
b) können sich die meisten Studenten nicht leisten, auch wenn sie auf der Wunschliste ganz oben steht.
c) liegt vor allem bei ausländischen Studenten im Trend. Oft entwickeln sich dabei Freundschaften zwischen Jung und Alt.
d) sind begrenzt und die Wartelisten lang. Entscheidend ist die frühzeitige Bewerbung.
e) ist einfach und bequem, kann aber Unabhängigkeit und Selbstständigkeit verhindern.
f) gehört zu den beliebtesten Wohnformen. Man ist flexibel und unabhängig und wohnt relativ preisgünstig.

1	2	3	4	5	6
d					

Wichtige Wörter und Wendungen

der Faktor (-en) • der Heimatort (-e) • die Mehrgenerationen-WG (-s) • das Studentenwohnheim (-e) • die Untermiete • der Untermieter (-) • die WG (-s) = Wohngemeinschaft (-en) ■ pendeln • verfügen (über + *Akk.*) • verhindern ■ begehrt • begrenzt • bezahlbar • flexibel • frühzeitig • komfortabel ■ auf der Hand liegen • im Trend liegen • Jung und Alt

C3 Wohnungen und Häuser

Wie heißen die Wörter? Schreiben Sie die Nomen richtig.

1. Viele Menschen träumen von einem (heiEimgen) *Eigenheim*.
2. In dieser Siedlung befinden sich (häuReiserhen) ____________ und Doppelhaushälften.
3. Die (nassterrenwohDachung) ____________ bietet einen herrlichen Blick über die Stadt.
4. Wir besitzen eine (genwohnEitumsung) ____________ in Berlin.
5. Seine Großeltern wohnen in einem modernen (enSeniheimor) ____________.
6. Die (Altungwohnbau) ____________ ist vor Kurzem saniert worden.
7. Hier entsteht eine neue Wohnanlage mit Ein- und (famiMehrlienerhäus) ____________n.

Wichtige Wörter und Wendungen

die Doppelhaushälfte (-n) • die Eigentumswohnung (-en) • das Einfamilienhaus (¨er) • das Reihenhaus (¨er) • das Seniorenheim (-e)

C4 Personen und Orte

Welche Personenbezeichnung passt? Ergänzen Sie.

Einheimischer • Flüchtling • Neuankömmling • ~~Obdachloser~~ • Zugezogener

1. Jemand, der ohne Wohnung ist, d. h. keinen festen Wohnsitz hat, und z. B. unter der Brücke übernachtet, ist ein *Obdachloser*.
2. Eine Person, die gerade neu an einem Ort angekommen ist, nennt man einen ____________.
3. Ein Mensch, der z. B. verfolgt wird und ohne Besitz sein Land verlässt, ist ein ____________.
4. Eine Person, die in dem Ort wohnt, aus dem sie stammt, ist ein ____________.
5. Jemand, der von einem anderen Ort zugezogen ist, ist ein ____________.

C5 Lärm im Mietshaus

Welche zwei Varianten sind richtig? Kreuzen Sie an.

1. Verbindliche Hausordnungen sind Bestandteil des Mietvertrags und
   ⊗ regeln O beeinträchtigen ⊗ klären
   das Zusammenleben der Mieter in einem Mietshaus.

2. Es gibt festgelegte Ruhezeiten,
   O die vor Lärmbelästigungen warnen.
   O die vor Lärmbelästigungen schützen.
   O in denen Lärm untersagt ist.

3. Vor allem muss die Nachtruhe
   O eingeschränkt werden.
   O eingehalten werden.
   O respektiert werden.

4. Der Lärm von spielenden Kindern
   O ist generell zumutbar.
   O ist für alle unerträglich.
   O muss grundsätzlich hingenommen werden.

5. Familienfeiern oder besondere Feste sollten den Nachbarn
   O angekündigt werden.
   O rechtzeitig mitgeteilt werden.
   O auf jeden Fall verschwiegen werden.

6. Kündigungen wegen nächtlichen Badens oder Duschens
   O sind unwirksam.
   O sind kein Verstoß gegen das Recht.
   O sind rechtmäßig.

Wichtige Wörter und Wendungen

der Bestandteil (-e) • die Hausordnung (-en) • die Lärmbelästigung (-en) • das Mietshaus (¨-er) • der Mietvertrag (¨-e) • die Nachtruhe • die Ruhezeit (-en) • der Verstoß (¨-e) ■ ankündigen • beeinträchtigen • einhalten • einschränken • hinnehmen • respektieren • untersagen • verschweigen ■ generell • grundsätzlich • nächtlich • rechtmäßig • unerträglich • wirksam • zumutbar

C6 Vom Sammeln – Interview

Was passt? Bilden Sie die richtigen Komposita.

Alters- • Briefmarken- • Konsum- • Material- • Müll- • ~~Sammel-~~ • Wert-
-aufnahme • -charaktere • -fieber • -gut • -objekt • -souvenirs • -Syndrom • -zwang

- Herr Lindner, wir freuen uns, dass Sie bei uns zu Gast sind und als Soziologe über das Phänomen des Sammelns berichten wollen. Warum sammeln wir überhaupt?
- Die Gründe sind sicherlich vielfältig. Die (1) *Sammel*leidenschaft ist in unserer (2) ___________gesellschaft weit verbreitet. Wir sammeln, weil uns das Sicherheit und Halt gibt. Dafür investieren wir Geld und opfern unsere Freizeit.
- Welche (3) ___________gruppen sammeln was?
- Schon Kinder sammeln und treten dabei miteinander in Wettstreit. Die klassische (4) ___________sammlung hat aber ausgedient. Sammelbilder, Figuren, Dosen, alles Mögliche kann zum (5) Sammel___________ werden. Erwachsene sehen ihre Sammlungen z.T. als (6) ________anlage: Bilder, Uhren, Antiquitäten usw. Oder man sammelt (7) Urlaubs___________. Das (8) Sammel___________ erfasst viele.
- Ja! Und da die Sammler miteinander in Kontakt treten, ist es auch eine Form der (9) Kontakt___________.
- In der Tat! Man tauscht sich untereinander aus und zeigt, was man besitzt, auch wenn der (10) ___________wert nicht bedeutsam ist.
- Je nachdem was und wie man sammelt, kann man unterschiedliche Typen von Sammlern unterscheiden. Welche sind die wichtigsten?
- Es gibt natürlich viele unterschiedliche (11) Sammel___________. Grundsätzlich gibt es diejenigen, die ihr (12) Sammel______ systematisch auswählen, und diejenigen, die um der Vollständigkeit willen alles horten. Das krankhafte Sammeln nutzloser Gegenstände ist auch typisch für das (13) Messie-___________. Der (14) Sammel___________ kann so weit gehen, dass die Wohnung einer (15) ________halde gleicht.
- Leider ist unsere Zeit zu Ende. Vielen Dank für Ihre interessanten Ausführungen.

Tipps für Sammler

Wie heißen die Nomen? Ergänzen Sie die fehlenden Vokale.

1. Wenn Sie diese Tipps beherzigen, steht Ihrem S_a_mm_e_l_e_rf_o_lg nichts mehr im Weg:
2. Sammeln ist eine Lebensaufgabe, für die Sie nicht nur Leidenschaft, sondern auch Ausd__ __ __r und Glück benötigen.
3. Die Konk__rr__nz ist groß. Sammeln Sie nicht, was jeder sammelt.
4. Besuchen Sie regelmäßig Flohmärkte und Aukt__ __n__n. Bleiben Sie beim Handeln locker und tun Sie so, als ob alles nur Spaß wäre.
5. Besorgen Sie sich einschlägige Zeitschriften und Kat__l__g__ und studieren Sie gewissenhaft den Markt.
6. Bei Haushaltsauflösungen sollten Sie dabei sein. Lesen Sie die Tod__s__nz__ __g__n.
7. Und nicht zuletzt: Auch im Internet kann man Rar__t__t__n finden.

Wichtige Wörter und Wendungen

die Konsumgesellschaft (-en) • die Leidenschaft (-en) • das Objekt (-e) • das Phänomen (-e) • der Sammler (-) • die Sammlung (-en) • die Todesanzeige (-n) • der Zwang (¨-e) ■ (sich) austauschen • investieren • opfern • verbreiten ■ gewissenhaft • krankhaft • nutzlos ■ im Weg stehen • in Kontakt treten mit jdm

C8 Schnäppchenjagd – drei Meinungen

Ersetzen Sie die kursiv gedruckten Ausdrücke durch passende Ausdrücke aus dem Schüttelkasten. Achten Sie auf die richtige Form.

ablaufen • angeblich • lästiges Muss • anstrengend • ausgefallen • die falsche Bezeichnung • die Hauptsache • im Preis herabgesetzt • Kleidung • naiv • nichts finden • passen • ~~Schnäppchen~~ • verführen • ein größerer Kauf

Sonja: Ich habe eigentlich gar keine Zeit, nach *günstigen Angeboten* / (1) Schnäppchen Ausschau zu halten. Den Einkauf von Lebensmitteln sehe ich als *unabänderliche Notwendigkeit* / (2) ______ ______. Ich kaufe, was ich brauche. Bei *Klamotten* / (3) ______ achte ich eher auf Schnäppchen. Dennoch darf man nicht zu *gutgläubig* / (4) ______ sein. *Vermeintliche* / (5) ______ Schnäppchen sind oft keine.

Katharina: Shoppen entspannt mich, weil ich einen *stressigen* / (6) ______ Alltag habe. Schnäppchen im Sinne von *reduzierter* / (7) ______ ______ ______ Ware interessieren mich nur, wenn es Einzelstücke sind: eine besondere Jacke, ein toller Gürtel oder ein *auffälliger* / (8) ______ Pulli. Da *klappere* / (9) ______ ich gern mal die Modeboutiquen *ab* / ______. Auch wenn ich *nicht fündig werde* / (10) ______ ______, macht die Suche nach etwas Besonderem den Kopf frei.

Susanne: Schnäppchenjagd ist für mich *der falsche Ausdruck* / (11) ______ ______ ______. Wenn *eine größere Anschaffung* / (12) ______ ______ ______ geplant ist, dann verschaffe ich mir einen Überblick über die aktuellen Preise. Das Preis-Leistungsverhältnis sollte *stimmen* / (13) ______. Das ist doch *das Entscheidende* / (14) ______ ______! Sogenannte Schnäppchen *verleiten* / (15) ______ oft nur zu falschen oder unnötigen Käufen.

Wichtige Wörter und Wendungen

die Bezeichnung (-en) • die Hauptsache • die Klamotten *(Pl., ugs.)* • die Notwendigkeit (-en) • das Schnäppchen *(-, ugs.)* ■ shoppen ■ entscheidend ■ sich einen Überblick verschaffen über etw. *(Akk.)*

C9 Tand und Trödel

Unterstreichen Sie jeweils die Ausdrücke, die wert- oder nutzlose Dinge bezeichnen.

1. In Wohnungen, auf Dachböden, in Kellerräumen oder sonstigen Abstellräumen lagern oft überflüssige Gegenstände, für die wir eigentlich keine Verwendung mehr finden.
2. Irgendwann stellt sich daher die Frage, wohin mit dem ganzen sinnlosen Kram. Also ausmisten und überlegen, was damit geschehen soll.
3. Sind die alten Möbel noch zu gebrauchen oder sind sie einfach nur Schrott? Dann ab zum Sperrmüll oder direkt auf den Wertstoffhof damit.
4. Auch anderes Gerümpel, das nur im Weg steht und Platz wegnimmt, entsorgt man am besten gleich mit oder bringt es zum Schrotthändler um die Ecke.
5. Trödelmärkte können eine Alternative sein, wenn man es nicht gleich übers Herz bringt, den ganzen angesammelten Krempel wegzuwerfen.
6. Auch online könnte man versuchen, einiges von seinem alten Zeug loszuwerden.
7. Allerdings wird nicht jeder Ramsch einen Käufer finden.

C10 Ausmisten oder was?

Welches Verb passt nicht? Kreuzen Sie an.

1.	○ ausmisten	○ entrümpeln	⊗ ansammeln
2.	○ verändern	○ entsorgen	○ beseitigen
3.	○ lagern	○ aufbewahren	○ aussortieren
4.	○ loswerden	○ erwerben	○ abgeben

Wichtige Wörter und Wendungen

der Dachboden (¨) • der Kram *(ugs.)* • der Schrott • der Sperrmüll • der Trödelmarkt (¨e) • der Wertstoffhof (¨e) • das Zeug *(ugs.)* ■ aufbewahren • ausmisten *(ugs.)* • beseitigen • entsorgen • lagern ■ überflüssig ■ es nicht übers Herz bringen (etw. zu tun) • Verwendung finden für etw. *(Akk.)*

C11 Amazon

Ergänzen Sie das passende Adverb oder Adjektiv mit der richtigen Endung.

allerdings • elektronisch • erster • größter • innovativ • landesspezifisch • letztlich • mittlerweile • bislang • deutsch • rasant • unangefochten • ~~weltbekannt~~ • amerikanisch

Wer kennt ihn nicht, den Online-Riesen im Versandhandel? Doch wer oder was steckt eigentlich hinter dem (1) *weltbekannten* Unternehmen Amazon? Sein Gründer, der (2) __________ Computerspezialist Jeff Bezos (*1964), ist heute Multimilliadär. Hauptsitz des Unternehmens ist Seattle im Bundesstaat Washington. Alles begann 1995, als er die Idee zu einem (3) __________ Buchhandel umsetzte. Amazon – der Name entstand in Anlehnung an einen der (4) __________ Flüsse der Welt – war geboren. Schon im (5) __________ Jahr seiner Gründung übertraf der Erfolg alle Erwartungen. Im Zeitalter des Internets hatte Bezos mit seiner (6) __________ Geschäftsidee eine Marktlücke entdeckt. Seit 1997 ist Amazon an der Börse notiert. Der Umsatz stieg (7) __________. 1998 entstanden viele (8) __________ Webseiten, so auch die (9) __________: amazon.de. Nach und nach kamen neue Produktbereiche hinzu. (10) __________ gibt es fast nichts, was Amazon nicht anbietet. Obwohl so manche Investition fehlschlug, blieb die Innovationsfreude des Chefs bestehen und schadete dem Unternehmen (11) __________ nicht. Mit der Verkaufsplattform „Marketplace" öffnete Amazon den Markt für andere Händler. Konkurrenz fürchtet Amazon nicht. Das Unternehmen behauptet (12) __________ seine Monopolstellung. (13) __________ kritisieren die Gewerkschaften immer wieder die Arbeitsbedingungen und rufen zu Streiks auf, (14) __________ ohne Ergebnis.

Wichtige Wörter und Wendungen

die Börse (-n) • der Buchhandel • die Marktlücke (-n) • der Umsatz (¨-e) • das Unternehmen (-) ■ innovativ • landesspezifisch • weltbekannt ■ dennoch • letztlich • mittlerweile ■ die Erwartungen übertreffen

D Gesundheit und Ernährung

D1 Fragen zur Krankschreibung: Was ist erlaubt?

Ergänzen Sie. Achten Sie auf die korrekte Form.

Bettruhe verordnen • sich überanstrengen • Krankmeldung • Genesung • sich versorgen mit • verschlimmern • ~~krankschreiben~~ • heilungsfördernd • grippaler Infekt • niesen • ankommen auf • Rückenbeschwerden • sich krankmelden • Beschwerden lindern

Muss ich zu Hause bleiben, wenn mein Arzt mich (1) krankgeschrieben **hat?**

Unsere Arbeitsrechtsexpertin Dr. Bettina Janzen beantwortet Ihre Fragen zu (2) ______________ ***(CH: Arztzeugnis)*** **und Krankschreibung.**

- ● Ich bin krankgeschrieben und muss dringend einkaufen. Ist das erlaubt?
- ■ Selbstverständlich können Sie (3) ______ ______ Lebensmitteln ______________, es sei denn Ihr Arzt hat Ihnen absolute (4) ______________ ______________.

- ◇ Ich habe (5) ______ ______________, da ich eine sehr starke Erkältung habe und die ganze Zeit (6) ______ und huste. Kann ich spazieren gehen?
- ■ Sie müssen alles unterlassen, was Ihrer (7) ______________ schadet und Ihre Krankheit (8) ______________. Bei einem (9) ______________ ______ gilt Bewegung an der frischen Luft in der Regel als (10) ______________, wenn Ihr Arzt Ihnen nicht etwas anderes empfohlen hat.

- □ Kann ich meinen Gymnastikkurs besuchen, wenn ich krankgeschrieben bin?
- ■ Es (11) ______ ______ Ihre Erkrankung ____. Sie müssen sich so verhalten, dass Sie möglichst bald gesund werden. Wenn Sie beispielsweise wegen (12) ______________ krankgeschrieben sind, kann Gymnastik Ihre (13) ______________ ______________. Bei einer schweren Bronchitis sollten Sie (14) ______ keinesfalls ______________.

anstecken • vorzeitig • für Wohlergehen sorgen • zulässig • sich fit fühlen • einen Rückfall erleiden • unter Umständen • Arbeitsunfähigkeitsbescheinigung • Attest • verantwortungsvoll • die Fürsorgepflicht haben • zur Arbeit erscheinen

□ Ich bin noch weitere drei Tage krankgeschrieben, (15) ________ ________ aber wieder _____ und möchte wieder zur Arbeit. Kann ich wieder arbeiten gehen?

■ Die (16) ______________________________ prognostiziert nur die Dauer Ihrer Erkrankung. Wenn Sie früher an Ihren Arbeitsplatz zurückkehren wollen, muss Ihr Arzt das (17) __________ ändern. Bedenken Sie aber, dass niemand geholfen ist, wenn Sie sich nicht vollständig auskurieren und (18) ________ ____________ ____________.

○ Mein Arbeitgeber hat mich wieder nach Hause geschickt, da ich wegen einer Grippe krankgeschrieben bin und (19) _____ _________ ________________ _____. Ist das (20) ____________?

■ Ihr Chef muss Ihre (21) _______________ Arbeitsleistung nicht annehmen. Er hat (22) ____________________________ gehandelt, denn er (23) _____ _____ ______________________ für alle seine Mitarbeiter und muss (24) _____ deren ______________ __________. Sie können andere Mitarbeiter (25) ______________ und er kann (26) ________ ______________ haftbar gemacht werden, sollte Ihnen ein Arbeitsunfall passieren.

Wichtige Wörter und Wendungen

die Arbeitsunfähigkeitsbescheinigung (-en) • das Attest (-e) • die Beschwerden *(Pl.)* • die Genesung • der grippale Infekt • die Krankmeldung (-en) • die Krankschreibung (-en) ■ ankommen auf *(+ Akk.)* • jdn/sich anstecken • sich krankmelden • krankschreiben • niesen • sich überanstrengen • verschlimmern • sich versorgen (mit + *Dat.*) ■ heilungsfördernd • verantwortungsvoll • zulässig ■ Beschwerden lindern • Bettruhe verordnen • die Fürsorgepflicht haben • einen Rückfall erleiden • unter Umständen = u. U. • zur Arbeit erscheinen

Welcher Facharzt ist zuständig?

Ergänzen Sie. Achten Sie auf die korrekte Form.

Frauenärztin • ~~Allergie~~ • ein juckender Hautausschlag • HNO-Arzt • Hautarzt • Krebserkrankung vorliegen • Radiologe • Facharzt • Kardiologe • Herzinfarkt • Kinderarzt • Orthopäde • Chirurgin • Bruch

1. Frau Sanchez leidet sehr stark an einer *Allergie* gegen Pollen. Ihr Hausarzt stellt ihr eine Überweisung zum ______________ aus: Sie vereinbart einen Termin beim ______________.
2. Frau Sulayman möchte ihre Brust und Gebärmutter untersuchen lassen und wissen, ob eine ______________ ______________. Sie geht regelmäßig zur Krebsvorsorge bei ihrer ______________.
3. Frau Stix leidet oft unter Ohrenschmerzen. Ihr Hausarzt überweist sie zum ______________.
4. Die vierjährige Julia hat ________ ______________ ______________ und Fieber. Ihre Mutter fährt mit ihr zum ______________.
5. Herr Zorzi hatte Schmerzen in der Brust, die auf seinen linken Arm ausstrahlten. Dies kann ein Anzeichen für einen drohenden ______________ sein. Er hat einen Termin beim ______________.
6. Lisa hatte einen Unfall beim Handball. In der Notaufnahme des Krankenhauses *(A/CH: Spitals)* wurde Lisa untersucht und zum ______________ geschickt. Auf der Röntgenaufnahme konnte man sehen, dass ein komplizierter ________ vorliegt. Die diensthabende ______________ wird Lisa noch heute operieren.
7. Herr Bauer hat seit Wochen starke Rückenschmerzen. Er nimmt starke Schmerzmittel und möchte einen Termin beim ______________.

Wichtige Wörter und Wendungen

der Bruch (¨-e) • die Chirurgin (-nen) • der Facharzt (¨-e) • die Frauenärztin (-nen)/Gynäkologin (-nen) • der Hautarzt (¨-e)/Dermatologe (-n) • der Herzinfarkt (-e) • der HNO-Arzt (¨-e) • der Kardiologe (-n) • der Kinderarzt (¨-e) • der Orthopäde (-n) • der Radiologe (-n) ■ einen juckenden (Haut-)Ausschlag haben • es liegt (k)eine (Krebs-)Erkrankung vor

D3 Über körperliche Beschwerden und Krankheiten sprechen

Wie heißen die Wörter? Ergänzen Sie die fehlenden Vokale.

So fragt der Arzt nach Beschwerden:

Was f*ü*hrt Sie z__ mir?

Welche B__schw__rd__n haben Sie?

Wo genau t__t es Ihnen w__h?

Wie lange d__ __ __rn die Beschwerden schon __n?

Hatten Sie diese Sympt__m__ schon früher?

So beschreiben Sie Ihre Beschwerden:

Ich habe hier einen z__ __h__nd__n/p__ch__nd__n/st__ch__nd__n Schm__rz.

Ich habe hier einen j__ck__nd__n __ __sschlag / __ntz__nd__t__ __ns__kt__nst__ch__.

Ich habe beim Sport __b__rtr__ __b__n. Seitdem schmerzt mir der R__ck__n /

das Kn__ __ ...

So erklärt der Arzt/die Ärztin die Diagnose und Therapie:

Wann sind Sie das letzte Mal g__r__ntgt *(A: röntgenisiert)* worden?

Das ist eine __ll__rg__ __ gegen ...

Das ist eine b__kt__r__ __ll__ __ntz__nd__ng.

Sie haben eine V__r__s__nf__kt__ __n.

Die Ursache für Ihre Beschwerden ist ein __ntz__nd__t__r Nerv/Muskel.

R__ __b__n Sie die Stelle zweimal täglich mit der Creme/Salbe __ __n.

Ich verschreibe Ihnen ein Ant__b__ __t__k__m.

Wichtige Wörter und Wendungen

die Allergie (-n) • das Antibiotikum (-a) • der Ausschlag (¨-e) • die Entzündung (-en) • der Insektenstich (-e) • das Symptom (-e) • die Virusinfektion (-en) ■ andauern • einreiben • führen zu *(+ Dat.)* • röntgen ■ bakteriell • entzündet ■ ein ziehender/pochender/stechender Schmerz

D4 Was machen Sie, um gesund zu bleiben?

Ergänzen Sie. Achten Sie auf die korrekte Form.

Übergewicht • Durstempfinden • ~~sich umhören~~ • Herz-Kreislauf-Erkrankung • Mikrowelle • Wohlbefinden • körpereigene Abwehrkräfte • Fertiggericht • Kohlenhydrate • Konzentrationsfähigkeit • Hülsenfrucht • Symptom

Was machen Sie, um gesund zu bleiben? Wir haben (1) uns **für Sie in der Stuttgarter Fußgängerzone** umgehört.

Frau Meier: Ich versuche, mich gesund zu ernähren, indem ich keine (2) ________ in der (3) ________ zubereite, sondern überwiegend selbst koche. Ich habe auch meinen Fleischkonsum reduziert und esse viele pflanzliche (4) ________, z. B. (5) ________ wie Linsen und Bohnen.

Herr Simmet: In meinem Alter fehlt mir oft das (6) ________ und um gesund zu bleiben, versuche ich ausreichend zu trinken. Meine (7) ________ lässt sonst merklich nach.

Frau Dönke: Ich habe mit dem Rauchen aufgehört. Aber mein Arzt sagt, dass erst nach 15 Jahren Nichtrauchen das Risiko einer (8) ________ vergleichbar mit dem eines Nichtrauchers ist.

Herr Nawel: Regelmäßig Ausdauersport treiben, das trägt zu meinem (9) ________ bei. Und dass Sport hilft, die (10) ________ ________ zu stärken, (11) Stress-________ senkt und (12) ________ vorbeugt, ist ja bekannt.

Wichtige Wörter und Wendungen

die (körpereigenen) Abwehrkräfte *(Pl.)* • das (Durst-)Empfinden • das Fertiggericht (-e) • die Herz-Kreislauf-Erkrankung (-en) • die Hülsenfrucht (¨-e) • die Kohlenhydrate *(Pl.)* • die Konzentrationsfähigkeit • die Mikrowelle (-n) • das (Stress-)Symptom (-e) • das Übergewicht ■ sich umhören ■ überwiegend ■ zum Wohlbefinden beitragen

D5 Kommunikation im Krankenhaus *(A/CH: Spital)*

Ergänzen Sie. Achten Sie auf die korrekte Form.

Narbe • Diagnose • Stich • Tumor • ~~nüchtern~~ • künstlich beatmen • Narkose • inoperabel • in Ohnmacht fallen • bleich • unter Schock stehen • Verband • Wunde • ambulant • stationär aufnehmen • Infusion legen

1. Vor dem Eingriff dürfen sie nichts essen oder trinken. Sie müssen _nüchtern_ sein.
2. Der Patient kann nicht selbstständig atmen. Er wird auf der Intensivstation k________ b________.
3. Der T________ kann nicht operiert werden. Er ist i________.
4. Der Patient ist noch nicht aus der N________ aufgewacht. Er wird aber gleich zu sich kommen.
5. Bitte bleiben Sie bei dem Patienten. Er st________ noch u________ Sch________.
6. Sie sind ja ganz b________. Setzen Sie sich. Nicht dass Sie mir noch i__ O________ f________!
7. Wir nähen die W________ so, dass es keine unschöne N________ geben wird.
8. Ich kann die D________ erst stellen, wenn mir die Laborbefunde vorliegen.
9. Wir können den Eingriff a________ durchführen. Wenn Sie aber keine Angehörigen haben, die Sie versorgen können, kann ich Sie auch st________ a________.
10. Meine Kollegin wird Ihnen eine I________ l________, da wir Ihnen das Antibiotikum intravenös verabreichen.
11. Ich werde die Platzwunde mit drei St________ nähen.
12. Gehen Sie bitte am Montag zum Wechseln des V________ zu Ihrem Hausarzt.

Wichtige Wörter und Wendungen

die Diagnose (-n) • der Eingriff (-e) • die Narbe (-n) • die Narkose (-n) • der Stich (-e) • der Tumor (-e) • der Verband (¨-e) • die Wunde (-n) ■ stationär aufnehmen • (künstlich) beatmen ■ bleich • inoperabel • nüchtern ■ eine Infusion legen • in Ohnmacht fallen • unter Schock stehen

D6 Redewendungen rund um den Körper

Was bedeuten die Redewendungen? Ordnen Sie zu.

1. Ich kann Ihnen da leider nicht helfen. Ich habe zwei linke Hände.
2. Es ist ärgerlich, dass du bei der Prüfung durchgefallen bist. Du kannst sie aber wiederholen. Lass den Kopf nicht so hängen.
3. Ich weiß, sein Humor ist merkwürdig. Aber er wollte dich nur auf den Arm nehmen.
4. Er hat die Prüfung beim zweiten Mal bestanden. Mir ist ein Stein vom Herzen gefallen.
5. Bist du heute mit dem linken Fuß aufgestanden?
6. Die Rechnung stimmt nicht. Die haben uns übers Ohr gehauen.
7. Nimm deinen starken Husten nicht so auf die leichte Schulter. Daraus kann schnell eine Lungenentzündung werden.
8. Ich habe die Nase voll vom Lernen.

a) Er wollte nur einen Spaß mit dir machen.
b) Ich bin erleichtert, dass er es geschafft hat.
c) Ich bin bei praktischen Dingen ungeschickt.
d) Du bist heute wirklich schlecht gelaunt.
e) Du solltest die Gefahr, dass sich die Krankheit verschlimmert, nicht unterschätzen.
f) Ich habe keine Lust mehr zu lernen.
g) Sei nicht so traurig.
h) Wir sind betrogen worden.

1	2	3	4	5	6	7	8
c							

Wichtige Wörter und Wendungen

betrügen • etw./jdn unterschätzen • verschlimmern ■ bei einer Prüfung durchfallen • den Kopf hängen lassen • ein Stein vom Herzen fallen • erleichtert sein • etw. auf die leichte Schulter nehmen • jdn übers Ohr hauen *(ugs.)* • mit dem linken Fuß aufstehen • zwei linke Hände haben

D7 Alternative Heilmethoden

Ergänzen Sie. Achten Sie auf die korrekte Form.

Selbstheilungskräfte • Erkrankung • Akupunktur • Osteopathie • Placebo-Effekt • ~~Homöopathie~~ • Heilpraktiker • vorwerfen • Wirksamkeit • Wirkstoff • Muskelverspannung • Beschwerden • Heilmethode • beseitigen

Die (1) *Homöopathie* ist eine alternativmedizinische Behandlungsmethode, bei der meist sehr stark verdünnte (2) ________________ eingesetzt werden, die unverdünnt bei Gesunden ähnliche (3) ________________ und Krankheitssymptome auslösen können, gegen die sie wirken sollen. Da durch die Verdünnung kaum noch etwas von dem ursprünglichen Wirkstoff vorhanden ist, (4) __________ Kritiker der Methode ______, dass sie nur einen (5) ________________ habe. Viele Patienten schwören jedoch auf die (6) ________________ von homöopathischen Kügelchen und Tropfen und gehen zum (7) ________________.

Die (8) ________________ ist eine traditionelle chinesische (9) ________________, bei der man durch das Einstechen sehr dünner Nadeln an bestimmten Punkten einen blockierten Energiefluss (10) ________________. Nach der altchinesischen Heilkunde durchziehen den Menschen Energiebahnen, sogenannte Meridiane, und ein gestörter Energiefluss wird für (11) ________________ verantwortlich gemacht.

Die (12) ________________ ist eine Behandlungsmethode, bei der der Körper des Patienten mit den Händen auf Bewegungseinschränkungen untersucht wird. Mit gezielten Handgriffen lockert der Osteopath die (13) ________________ im Körper, wodurch die (14) ________________ des Körpers angeregt werden.

Wichtige Wörter und Wendungen

die Akupunktur • die (Bewegungs-)Einschränkung (-en) • die Erkrankung (-en) • die Heilmethode (-n) • der Heilpraktiker (-) • die Homöopathie • die Osteopathie • die (Muskel-)Verspannung (-en) • die Wirksamkeit • der Wirkstoff (-e) ■ beseitigen • jdm etw. vorwerfen

D8 Speisen und Getränke: vegetarisch und laktosefrei

Was passt nicht? Streichen Sie.

1. Ich habe die ganze Woche in der Mensa vegetarisch gegessen. Aber am Sonntag mache ich …
   einen Braten – Kalbskoteletts – Schnitzel – ~~einen Gemüseauflauf~~.
2. Nehmen wir dieses Fertiggericht? Da steht drauf: ohne …
   Farbstoffe – Konservierungsstoffe – Kohlenhydrate – Geschmacksverstärker.
3. Welchen Fisch möchten Sie? Wir haben …
   Speck – Lachsfilet – Forelle – gegrillte *(CH: grillierte)* Thunfischsteaks.
4. Wir essen gerne Geflügel. Meine Kinder lieben …
   Hähnchen *(A: Hend(e)l, CH: Poulet)* – Putenfleisch *(CH: Trutenfleisch)* – Fischstäbchen – Gans – Ente.
5. Wir brauchen noch Wurst. Hol doch bitte …
   Schinken – Salami – Pfannkuchen *(A: Palatschinken)* – Leberwurst – drei Paar Wiener *(A: Frankfurter)*.
6. Besorgst du beim Bäcker bitte noch …
   Gouda – Graubrot *(A: Schwarzbrot, CH: Ruchbrot)* – Baguette – Brezeln.
7. Für die Verpflegung unserer Allergiker brauchen wir noch …
   glutenfreies Brot – Wasser mit Kohlensäure – laktosefreie Milch – Müsli ohne Spuren von Nüssen.
8. Dieser Supermarkt hat viele laktosefreie Milchprodukte im Sortiment: …
   Joghurt – Quark *(A: Topfen)* – Schlagsahne *(A: Schlagobers, CH: Schlagrahm)* – Hartkäse – Hackfleisch *(A: Faschiertes)*.

Wichtige Wörter und Wendungen

der Allergiker (-) • der Farbstoff (-e) • das (Lachs-)Filet (-s) • das (Kalb-/Puten-)Fleisch • die Forelle (-n) • das Geflügel • das (Fertig-)Gericht (-e) • der Gouda (-s) • der Hartkäse • die Kohlensäure • das Kotelett (-s) • der Lachs (-e) • der Pfannkuchen (-) • der Quark • die Salami (-s) • das Sortiment • der Speck • das (Thunfisch-)Steak (-s) • die Verpflegung ■ gluten-/laktosefrei • vegetarisch ■ enthält Spuren von …

D9 Speisen zubereiten

Was passt? Unterstreichen Sie das richtige Verb oder die richtigen Verben.

1. Ich muss noch die Sahne *(A: den Schlagobers, CH: den Schlagrahm)* steif rühren / schlagen / kneten.
2. Die Schnitzel müssen noch paniert / gebraten / gekocht werden.
3. Für den Salat müssen wir noch Karotten *(CH: Rüebli)* raspeln / schneiden / garnieren.
4. Geflügel soll man wegen der Salmonellengefahr immer auftauen / durchgaren / durchbraten.
5. Du musst das Gulasch noch salzen / würzen / frittieren.
6. Die Pommes frites wurden frittiert / gesalzen / gekocht.

D10 Naschen, knabbern und schmatzen

Ergänzen Sie. Achten Sie auf die korrekte Form.

Krümel • naschen • hineinschlingen • verputzen • ~~knabbern~~ • schmatzen • um Futter betteln • fressen

1. Wenn du nicht aufhörst, andauernd abends vor dem Fernseher Chips und Erdnüsse zu knabbern, nimmst du noch mehr zu.
2. Du sollst nicht von dem Teig __________. Da sind rohe Eier drin.
3. Jetzt iss mal langsam! Auch wenn du einen riesengroßen Hunger hast, brauchst du das Essen nicht so ____________________.
4. Da sind nur noch __________ auf dem Teller. Die Jungs *(A: Buben)* haben den ganzen Kuchen __________. Ich hätte auch noch gerne ein Stück davon gehabt.
5. __________ nicht so laut. Mit dir muss man sich ja beim Essen schämen.
6. Unser Hund bekommt während wir essen absolut nichts zu __________. Wir wollen nicht, dass er anfängt, am Tisch ___ __________ zu __________.

Wichtige Wörter und Wendungen

das Gulasch • der Krümel (-) ■ auftauen • frittieren • (durch-)garen • garnieren • hineinschlingen • knabbern • kneten • naschen • panieren • raspeln • rühren • (steif) schlagen • schmatzen • verputzen *(ugs.)* • würzen

D11 Was ist drin im Billig-Brot und Billig-Brötchen?

Ergänzen Sie. Achten Sie auf die korrekte Form.

Konservierungsstoff • Zusatzstoff • Unverträglichkeiten auslösen • Babynahrung • zulassen • vorgefertigt • ~~rund um die Uhr~~ • zum Einsatz kommen • Organismus • Vitamin • lagerfähig • als unbedenklich gelten

Fast in jedem Supermarkt gibt es frische und preiswerte Brötchen *(A: Semmeln)* (1) rund um die Uhr. Sie werden aus (2) ________________ Teiglingen gebacken, in denen viele Zusatzstoffe (3) ______ ____________ ____________. Pro Teig sind bis zu 20 Substanzen erlaubt und rund 200 Stoffe sind bei der Backwarenproduktion (4) ________________. Ihre Wirkung auf den menschlichen (5) ________________ ist weitgehend unerforscht – möglicherweise werden durch sie Allergien und (6) ______________________________ ______________.

Welche (7) ________________ kommen zum Einsatz? Dem Mehl wird beispielsweise Ascorbinsäure, auch als (8) ____________ C bekannt, zugesetzt. Dadurch bleiben die Backwaren länger (9) ______________. Als (10) ______________________ wird E 270, Milchsäure, verwendet. Da diese Substanz (11) _____ ________________ ______, ist sie auch für Bio-Produkte und (12) ________________ zulässig.

D

Backwaren • Hefe • widerstehen • nachweisen • allergische Reaktion • einsetzen • Umfang • beschränken • Vorgabe • im Verdacht stehen • konventionelle Landwirtschaft • Unkrautbekämpfung • Duft • krebserregend

Ein weiterer häufiger Zusatzstoff bei Billigbrötchen ist Guarkernmehl. Dieser Stoff ist nach (13) ______________ der EU nur in begrenztem (14) ___________ für Lebensmittel zugelassen. Er (15) ________ ___ ___________, Blähungen und Bauchkrämpfe auszulösen. Als Backtriebmittel werden bei Billig-Brötchen oft Diphosphate (16) ________________. Die EU hat ihre Menge in Lebensmitteln (17) ______________, da sie bei zu hoher Dosierung (18) ________________ ________________ auslösen und für Osteoporose und Hyperaktivität verantwortlich sein sollen.

Da die Mehle bei Billig-Brötchen aus der (19) ________________________ ________________________ stammen, bei der Herbizide zur (20) ______________________________ erlaubt sind, wurden beim Test verschiedener Discounter-Brötchen auch Spuren von Glyphosat (21) ____________________. Dieses Unkrautvernichtungsmittel steht im Verdacht, (22) ____________________ zu sein.

Eigentlich brauchen Brot und Brötchen *(A: Gebäck)* nur Mehl, Wasser, (23) ______ *(A: Germ)*, Salz und viel Zeit, aber keine Zusatzstoffe. Sie als Verbraucher entscheiden: Sie müssen nur dem (24) _______ der billigen, industriell gefertigten Backwaren (25) ___________________ und können für ein paar Cent mehr, in einer kleinen Handwerksbäckerei Ihre (26) ________________ kaufen.

Wichtige Wörter und Wendungen

die Babynahrung • der Duft (¨-e) • die Hefe • der Konservierungsstoff (-e) • der Organismus (-men) • die Unkrautbekämpfung • die Vorgabe (-n) • der Zusatzstoff (-e) ■ nachweisen • zulassen ■ krebserregend • lagerfähig • vorgefertigt ■ als unbedenklich gelten • eine allergische Reaktion auslösen • im Verdacht stehen • konventionelle Landwirtschaft • rund um die Uhr • Unverträglichkeiten auslösen • zum Einsatz kommen

Vegetarier und Veganer: Fleischlos liegt im Trend

Ergänzen Sie. Achten Sie auf die korrekte Form.

Meeresfrüchte • verzehren • ~~kontinuierlich~~ • Veganer • Vegetarier • schätzen • verzichten • im Trend liegen • nach Einschätzung • lebend • laut • Lebewesen • Beweggrund • sich ernähren • ablehnen • Lebensweise • Fett • moralisch • Schmerzempfinden • Massentierhaltung

1. Der Fleischkonsum in Deutschland sinkt kontinuierlich. Er wird aktuell auf rund 60 Kilogramm pro Kopf und Jahr ____________[1]. ______ einer aktuellen Studie ____________ Frauen dabei nur etwa halb so viel wie Männer.
2. ______ ____________ renommierter Markt- und Meinungsforschungsinstitute ______ weniger oder gar kein Fleisch zu essen ____ ________. Rund 10 % der Bevölkerung sind in Deutschland mittlerweile Vegetarier und 1,1 % ________.
3. ____________ essen nur Produkte von ____________ Tieren, wie Milch, Eier, Honig und daraus hergestellte Lebensmittel. Sie ____________ auf Fleisch, Fisch und ____________.
4. Veganer ____________ ______ ohne tierische Produkte. Veganismus ist aber auch eine ____________, denn Veganer ________ auch die Nutzung tierischer Produkte wie Daunen, Wolle, Seife aus tierischen ________ oder Schuhe aus Leder ____.
5. Die meisten Veganer geben als ____________ für ihre Lebensweise ____________ Aspekte an: Sie sind gegen ____________, weil die Tiere dort als Ware behandelt werden und nicht als soziale ____________ mit ____________.

Wichtige Wörter und Wendungen

der Beweggrund (¨-e) • das (Schmerz-)Empfinden (Empfindungen) • das Fett (-e) • die Lebensweise (-n) • das Lebewesen (-) • die Massentierhaltung • die Meeresfrüchte *(Pl.)* • der Veganer (-) • der Vegetarier (-) ■ verzehren ■ kontinuierlich • lebend • moralisch ■ im Trend liegen • laut *(+ Dat.)* • nach Einschätzung

1 *Stand 2016*

E Lernen und Arbeiten

E1 Lerntypen

Welche Beschreibung passt zu welchem Lerntyp? Ordnen Sie zu.
Unterstreichen Sie in a bis d jeweils einen synonymen Ausdruck für „lernen“.

1. Visueller Lerntyp
2. Auditiver Lerntyp
3. Motorischer Lerntyp
4. Kommunikativer Lerntyp

a) Dieser Lerntyp lernt ungern allein. Er möchte diskutieren und benötigt den Meinungsaustausch und die Auseinandersetzung mit anderen. Das, worüber er in der Gruppe spricht, behält er im Gedächtnis.

b) Dieser Lerntyp muss den Lernstoff vor Augen haben. Texte und jede Art von Bildern und Illustrationen sprechen ihn an. Was er selbst sieht, kann er sich gut einprägen. Hilfreich sind Lernposter und Videos.

c) Dieser Lerntyp spitzt die Ohren. Er speichert wichtige Informationen, indem er zuhört oder laut liest. Er schätzt Vorträge und Präsentationen. Geeignete Lernmittel sind für ihn z. B. CDs und DVDs.

d) Dieser Lerntyp erarbeitet sich den Stoff aktiv. Er sitzt nicht still, sondern bewegt sich, indem er etwas tut oder beim Lernen hin- und herläuft. Um sich etwas zu merken, muss er handeln, berühren, nachmachen.

1	2	3	4
b			

Wichtige Wörter und Wendungen

das Gedächtnis • die Illustration (-en) • das Lernmittel (-) • der Lernstoff • der Lerntyp (-en) • der Meinungsaustausch ■ berühren • sich einprägen • schätzen ■ auditiv • hilfreich • kommunikativ • motorisch • visuell ■ im Gedächtnis behalten • vor Augen haben

E2 Zehn Gründe für das Erlernen einer Fremdsprache

Ergänzen Sie. Achten Sie auf die korrekte Form.

Ansehen • bekanntlich • betreffend • ~~Beschäftigung~~ • erweitern • geistig • unabdingbar • zweitrangig • Globalisierung • Kompetenz • Mentalität • optimal • schließen • auswandern • Selbstvertrauen • steigern • treten

1. Eine Fremdsprache zu lernen macht Spaß und ist eine sinnvolle *Beschäftigung*.
2. Sprachenlernen ist eine Herausforderung, die ______________ schafft, wobei Perfektion in Grammatik und Wortschatz ______________ ist.
3. Sprachenlernen ermöglicht einem, mit Leuten in Kontakt zu ______________ und neue Freundschaften zu ______________. Das beginnt schon im Sprachkurs.
4. Auf Reisen oder im Urlaub kann eine Fremdsprache eine wertvolle praktische Hilfe sein. Nicht jeder spricht ______________ die eigene Muttersprache.
5. Beim Fremdsprachenlernen erfährt man einiges über Land, Leute und Kultur der ______________ Sprache. Damit ______________ man seinen persönlichen Wissenshorizont.
6. Fremdsprachen sind die Voraussetzung für das Verständnis anderer Länder, Kulturen und ______________.
7. Fremdsprachenkenntnisse stellen eine Zusatzqualifikation für den Beruf dar und sind gefragt, wenn es um ______________ und interkulturelle ______________ geht.
8. Fremdsprachen sind ______________, wenn man eine Zeit im Ausland leben oder arbeiten oder wenn man ______________ möchte.
9. Wer fremde Sprachen spricht, gilt als gebildet und ______________ dadurch sein gesellschaftliches ______________.
10. Es ist wissenschaftlich erwiesen, dass Sprachenlernen ein ______________ Gedächtnistraining darstellt und ______________ fit hält.

Wichtige Wörter und Wendungen

die Kompetenz (-en) • das Selbstvertrauen • die Zusatzqualifikation (-en) ■ auswandern • ermöglichen • steigern ■ gebildet • gesellschaftlich • optimal ■ Freundschaft schließen mit jdm • in Kontakt treten mit jdm • seinen Horizont erweitern

E3 Nebenjobs

Wie heißen die Tätigkeiten? Schreiben Sie die Nomen richtig.

1. Supermärkte, aber auch andere Geschäfte, suchen oft (rerKaiess) Kassierer, die in Stoßzeiten oder an Samstagen aushelfen.
2. Gefragt sind auch (fehilAus) ____________n im Einzelhandel, die im Verkauf und bei der Beratung mithelfen.
3. Beliebte Nebenjobs sind auch Kurierdienste mit dem Fahrrad oder Auto, z. B. als (bitePozza) ____________ ____________.
4. Ein schon fast klassischer Nebenjob vieler Studenten ist es, in Bars, Kneipen, Cafés oder Restaurants als (nieBedung) ____________ auszuhelfen.
5. Wer gern Auto fährt und sich gut in der Stadt auskennt, kann als (xaTirerfah) ____________ jobben.
6. Diesen Job können schon Schüler übernehmen: (ausZeitträgungser) ____________.
7. Ein kleines Taschengeld kann man sich auch als (teryBabsit) ____________ verdienen.
8. Studenten geben gern (Nilachhef) ____________ in verschiedenen Fächern.
9. Auf Messen kann man als (tessMeshosse) ____________ in wenigen Tagen gutes Geld verdienen.
10. Bei Film und Fernsehen braucht man nicht nur Schauspieler, sondern auch (paromseK) ____________n.

Wichtige Wörter und Wendungen

der Einzelhandel • der Nebenjob (-s) • die Stoßzeit (-en) • der Taxifahrer (-) • der Verkauf (¨-e) • der Zeitungsausträger (-) ■ aushelfen • sich auskennen ■ gutes Geld verdienen

E4 Praktikumsbewerbung

Was passt nicht? Streichen Sie.

Bewerbung um ein Praktikum

Sehr geehrte Frau Schickhaus,

Ihr Unternehmen (1) *genießt/~~verliert~~* in der Medienbranche den besten (2) Ruf/Ruhm. Da ich später einmal im Bereich Medienkommunikation (3) tätig/tüchtig sein möchte, interessiere ich mich sehr für ein Praktikum bei Ihnen.

Im Rahmen meines (4) *Hobbys/Studiums* der Medienwissenschaften habe ich bereits praktische Erfahrungen (5) sammeln/schaffen können. Die sozialen (6) Netzwerke/Stationen und die damit verbundene Öffentlichkeitsarbeit sind mir bestens (7) gebräuchlich/vertraut. Ich bin gewohnt, selbstständig und (8) fantasievoll/kreativ zu arbeiten, und kann mich auch gut im Team (9) einbringen/verbergen.

Ich habe als Texterin (10) beim Aufbau/bei der Herstellung eines Karriere-Portals mitgearbeitet und (11) regle/verfüge über Erfahrung im Umgang mit der Presse.

Mir würde es sehr viel (12) Abwechslung/Freude machen, Ihr Team in den Semesterferien (13) ratlos/tatkräftig zu unterstützen. Über die Einladung zu einem (14) persönlichen/privaten Gespräch freue ich mich sehr.

Mit (15) freundlichen/liebevollen (16) Grüßen/Küssen

Marina Neuner

Wichtige Wörter und Wendungen

die Abwechslung (-en) • der Aufbau • der Ruf • das Unternehmen (-) ▪ tätig sein • verfügen (über + *Akk.*) • vertraut sein ▪ Erfahrungen sammeln

E5 Duales Studium – Interview

Wie heißen die Wörter? Ergänzen Sie die fehlenden Vokale.

- Lukas, unsere Leser möchten gern wissen, warum Sie sich für ein (1) du ales Studium bei einer (2) Sp__rtart__k__lfirm__ entschieden haben. Sie hätten ja auch an die Uni gehen und ganz normal (3) stud__ __r__n können.
- Ja, aber die (4) Verb__nd__ng von Theorie und Praxis hat mich schon immer gereizt. Für mich ist das die perfekte (5) Komb__n__t__ __n von Lernen und Arbeiten. Ich verdiene Geld und kann gleichzeitig meinen (6) B__ch__l__r in BWL machen.
- Klingt (7) v__ __lverspr__ch__nd. Wie läuft die (8) Ausb__ld__ng genau ab? Wann arbeiten und wann studieren Sie?
- Drei Monate bin ich im Unternehmen (9) t__tig, dann drei Monate an der Hochschule. Dabei wechsle ich auch regelmäßig die Stadt, was mich immer wieder neu (10) mot__v__ __rt. Einmal arbeite ich im Büro, einmal sitze ich im (11) Hörs__ __l und studiere. Das Unternehmen ist international ausgerichtet, sodass auch (12) Ausl__ndsauf__nth__lt__ jederzeit möglich sind. Die sind wichtig, um sich für später ein Netzwerk (13) aufz__b__ __ __n. Ich möchte nach Sevilla.
- Was gefällt Ihnen denn im (14) F__rm__nallt__g besonders gut?
- Alle Mitarbeiter sind jung und dazu sportlich. Und man kommt immer wieder mit (15) F__ßballst__rs oder anderen berühmten Sportlern in (16) K__nt__kt.
- Wie (17) be__rteil__n Sie abschließend Ihre Situation als (18) Az__b__ und Student?
- Also, wem ein normales Hochschulstudium zu (19) prax__sf__rn ist, dem kann ich ein duales Studium nur empfehlen. Ich habe meine (20) Entsch__ __d__ng nie bereut.

Wichtige Wörter und Wendungen

der Auslandsaufenthalt (-e) • der Azubi (-s, = der Auszubildende, -n) • der Bachelor • BWL (= die Betriebswirtschaftslehre) • das duale Studium • das Hochschulstudium ■ bereuen • beurteilen ■ abschließend • praxisfern • vielversprechend ■ jedenfalls ■ (sich) ein Netzwerk aufbauen • in Kontakt kommen mit jdm/etw.

E6 Arbeitszeitmodelle

Was passt? Bilden Sie die richtigen Komposita.

Arbeit- (2x) • Arbeits- (2x) • Arbeitszeit- • Dienstleistungs- • Jahres- • Kern- • Regel- • Renten- • Stunden- • Über- • Vollzeit- • Wochenend- • Zeit- • -abschnitte • -bereich • -einsatz • -gewinn • -lage • -leben • ~~-modell~~ • -schicht • -tag • -verhältnis • -vertrag • -verträge • -wege • -zahl • -zeit

Um welche Arbeitszeitmodelle handelt es sich bei den Beschreibungen A bis F? Ordnen Sie zu.

Vollzeit-arbeit	Teilzeit-arbeit	Gleitzeit-arbeit	Tele-arbeit	Schicht-dienst	Arbeit auf Abruf
A					

A. Diese Art der Beschäftigung ist kein besonderes (1) Arbeitszeit*modell*, sondern entspricht der (2) __________arbeitszeit. Zur Orientierung dienen die allgemein üblichen (3) Tarif__________ in der jeweiligen Branche. Das (4) Arbeits__________ ist nicht automatisch an eine feste (5) Wochenstunden__________ gebunden, sondern abhängig vom jeweiligen Unternehmen. Es definiert sich vor allem im Unterschied zu anderen möglichen (6) __________zeiten im selben Betrieb.

B. Es wird nicht nur im Betrieb, sondern auch zu Hause oder sogar ausschließlich außerhalb des Büros gearbeitet. Damit fallen eventuell lange (7) Arbeits__________ weg. Das (8) __________umfeld ist in der Regel ruhiger und die Arbeit kann besser an das (9) Privat__________ angepasst werden. Die Arbeit wird über Internet erledigt und erfordert keine Anwesenheit in der Firma. Die Kommunikation erfolgt ebenfalls auf elektronischem Weg. Der persönliche Kontakt zum Unternehmen und zu den Kollegen ist eingeschränkt.

C. Bei diesem Arbeitszeitmodell ist ein (10) Arbeits__________ in mehrere (11) Tages__________ unterteilt, in denen sich die Beschäftigten abwechseln. Immer mehr Menschen vor allem in der Industrie, im (12) Gesundheits__________ und im (13) __________sektor haben außerhalb der üblichen Arbeitszeiten oder am Wochenende Dienst. Man spricht dann von Nacht-, Früh- und (14) Spät_____________ oder

(15) ___________________dienst. Die gesundheitlichen und sozialen Folgen

können dabei erheblich sein.

D. Besonders für Frauen, die Familie und Beruf unter einen Hut bringen wollen, ist dieses Arbeitszeitmodell, eine echte Alternative zur (16) ______________beschäftigung. Die wöchentliche (17) ______________zahl wird reduziert. Hier gibt es die unterschiedlichsten Varianten, die je nach den individuellen Bedürfnissen mit dem (18) ___________geber vereinbart werden. Dem (19) Freizeit____________ entspricht eine geringere Bezahlung. Auch die (20) ____________zahlungen fallen später geringer aus.

E. Diese Art der kapazitätsorientierten variablen Arbeitszeit ist in der Regel wenig vorteilhaft für den (21) ___________nehmer. Es wird im Prinzip nur dann gearbeitet, wenn es die (22) Auftrags________ erfordert. Die Vergütung richtet sich nach der geleisteten Arbeit und ist unterschiedlich hoch. Es gibt aber auch Varianten, bei denen der (23) Arbeits_____________ z. B. von der (24) ___________zeit abhängt und von vornherein feststeht.

F. Egal ob man Voll- oder Teilzeit arbeitet, kann diese Möglichkeit der flexiblen (25) ____________________einteilung zusätzlich im (26) Arbeits_____________ aufgeführt sein. Innerhalb eines bestimmten (27) _______rahmens mit oder ohne feste (28) ________zeiten kann man selbst entscheiden, zu welcher (29) Uhr_______ und wie lange man am Stück arbeitet. Fallen (30) ________stunden an, können diese angerechnet werden. Damit ist es leichter, private Termine wahrzunehmen.

Wichtige Wörter und Wendungen

die Anwesenheit (-en) • das Bedürfnis (-se) • die Orientierung • das Privatleben • der Tarifvertrag (¨-e) • das Umfeld ■ sich abwechseln • (sich) anpassen (an + *Akk.*) • entsprechen • wahrnehmen ■ vorteilhaft ■ in der Regel • im Prinzip • unter einen Hut bringen

E7 Über den Betriebsrat

Welche Aussage ist richtig? Kreuzen Sie an.

1. Der Betriebsrat
   - ○ ist für Einstellungen und Kündigungen im Betrieb zuständig.
   - ⊗ vertritt die Interessen der Arbeitnehmer gegenüber dem Arbeitgeber.
   - ○ hat keine eigenen Rechte und Aufgaben.

2. ○ Die Amtszeit des Betriebsrats beträgt vier Jahre.
   - ○ Der Betriebsrat wird auf Lebenszeit gewählt.
   - ○ Die Geschäftsführung bestimmt die Mitglieder des Betriebsrats.

3. ○ Der Arbeitgeber kann die Wahl eines Betriebsrats verbieten.
   - ○ Der Betriebsrat verhandelt zwischen Arbeitgeber und Arbeitnehmern.
   - ○ Betriebsrat und Arbeitgeber kommunizieren immer schriftlich.

4. ○ Der Betriebsrat hat keinen Einfluss auf die Geschäftsführung.
   - ○ Die Geschäftsführung wird vom Betriebsrat kontrolliert.
   - ○ Der Betriebsrat hat gegenüber der Geschäftsführung viele Pflichten, aber keine Rechte.

5. ○ Der Betriebsrat schließt mit den Gewerkschaften die Tarifverträge.
   - ○ Der Arbeitgeber schließt mit dem Betriebsrat die Tarifverträge.
   - ○ Der Betriebsrat überwacht die Einhaltung der Tarifverträge.

6. Der Betriebsrat kümmert sich z. B. um
   - ○ die Vereinbarkeit von Familie und Erwerbstätigkeit.
   - ○ alle betrieblichen und privaten Angelegenheiten der Arbeitnehmer.
   - ○ um die Behördengänge der Arbeitnehmer.

Wichtige Wörter und Wendungen

die Angelegenheit (-en) • der Arbeitgeber (-) • der Arbeitnehmer (-) • die Einstellung (-en) • die Erwerbstätigkeit (-en) • die Geschäftsführung • die Vereinbarkeit ■ kommunizieren • überwachen ■ betrieblich ■ auf Lebenszeit • Einfluss haben auf jdn/etw. • einen Vertrag schließen mit jdm

E8 Zeitmanagement

Ergänzen Sie das passende Nomen oder Verb in der richtigen Form.

abhaken • Vorrang • Arbeitspensum • richten • einschätzen • Entlassung • Selbstwertgefühl • Überforderung • entspannen • Erholungspause • erstellen • Freiraum • geraten • Leistungskurve • näher rücken • Priorität • einteilen • ~~Zeitmangel~~

Hohe Anforderungen im Beruf, (1) *Zeitmangel* und Stress führen viele Menschen an ihre Leistungsgrenzen. Dazu kommt bisweilen die Angst vor (2) ________ und drohender Arbeitslosigkeit. Manchmal genügt es, sich seine Zeit richtig (3) ________, um sich vor (4) ________ und den negativen Folgen für die Gesundheit zu schützen.

Zeitmanagement bedeutet, mit seiner Zeit so umzugehen, dass man nicht dauernd in Zeitnot (5) ________. Es bedeutet auch, sich bewusst (6) ________ zu schaffen, in denen man sich (7) ________ kann. Man muss lernen, (8) ________ zu setzen. Der Fokus soll auf das Wesentliche (9) ________ sein. Sinnvoll ist es, To-do-Listen zu (10) ________, um den Arbeitstag effektiv zu organisieren. (11) ________ haben die Tätigkeiten, die zum Erfolg führen. Dabei gilt es, die Zeitdauer, die eine Aufgabe in Anspruch nimmt, realistisch (12) ________. Es macht wenig Sinn, alles gleichzeitig erledigen zu wollen. Besser ist es, eins nach dem anderen (13) ________, und dabei die persönliche (14) ________ zu berücksichtigen.

Zu welcher Zeit kann man konzentriert arbeiten? Wann benötigt man (15) ________? Wer am Ende des Tages sein (16) ________ geschafft hat, hat Zeit gespart und ist seinen beruflichen Zielen ein Stück (17) ________ ________. Ganz nebenbei hebt das auch das (18) ________.

Wichtige Wörter und Wendungen

die Anforderung (-en) • das Selbstwertgefühl • die Überforderung ■ (sich) entspannen • umgehen (mit + *Dat.*) ■ bewusst • effektiv ■ in Anspruch nehmen • in Zeitnot geraten • Prioritäten setzen • Vorrang haben • zum Erfolg führen

F Medien und Freizeit

F1 Computerspiele – pro und kontra

Ergänzen Sie. Achten Sie auf die korrekte Form.

investieren • Aspekt • potenziell • gewalttätig • kooperieren • Tatsache • beurteilen • real • differenzieren • vollständig • logisch • boomen • ~~virtuell~~ • zweifellos • Realitätsgefühl

Nicht nur viele Jugendliche, sondern auch immer mehr Erwachsene gehen jede freie Minute online und tauchen in (1) _virtuelle_ Welten ab. Der Markt der Computerspiele (2) ________. Die einen verdammen sie, die anderen sehen auch positive (3) ________. Unbestritten ist die (4) ________, dass der Zeitaufwand so hoch ist, dass andere Aktivitäten vernachlässigt werden. Der Austausch mit Personen des (5) ________ Lebens bricht weg. Man vereinsamt. Je mehr Zeit man (6) ________, desto höher ist die (7) ________ Suchtgefahr, bis man nur noch auf das Spiel fixiert ist und sich (8) ________ aus dem normalen Alltag zurückzieht. Das (9) ________ geht verloren. Besonders gefährlich wird es, wenn es sich um aggressive und (10) ________ Spiele handelt. Aber nicht alle Computerspiele sind negativ zu (11) ________. Es gibt Spiele, die das (12) ________ Denken schulen und das Reaktionsvermögen trainieren. Das kann im Alltag (13) ________ von Nutzen sein. Oft wird in realen Gruppen gespielt, was den Gemeinschaftssinn stärkt. Man lernt zu (14) ________ und sich durchzusetzen. Computerspiele sollten also nicht rundweg abgelehnt werden. Vielmehr gilt es, genauer zu (15) ________ und die Beschäftigung damit zeitlich zu begrenzen.

Wichtige Wörter und Wendungen

der Aspekt (-e) • der Austausch • das Computerspiel (-e) • der Zeitaufwand ■ beurteilen • sich durchsetzen • investieren (in + *Akk.*) • vernachlässigen ■ aggressiv • gewalttätig • logisch • real • virtuell • vollständig ■ es handelt sich um etw./jdn • online gehen • von Nutzen sein

F2 Warum wir bloggen – Interview

Was passt nicht? Streichen Sie.

● Bloggen wird immer (1) *beliebter/~~verliebter~~* und es gibt zahlreiche Gründe dafür. Warum bloggt ihr eigentlich?

○ Mir macht es Spaß, mich in ein Thema zu (2) *verrennen/vertiefen* und andere daran teilhaben zu lassen.

□ Als Bloggerin bin ich (3) *anerkannt/bedeutungslos*. Meine Meinung ist gefragt. Das ist sozusagen meine digitale Identität, auf die ich (4) *gespannt/stolz* bin.

◇ Mein Blog ist mein Gedächtnis. Beim Bloggen (5) *ordne/zerstöre* ich meine Gedanken. Dabei bemühe ich mich um einen verständlichen Ausdruck und einen (6) *ablehnenden/ansprechenden* Schreibstil.

● Jetzt mal genauer: Worüber bloggt ihr eigentlich? Ein Blog ist ja kein normales Tagebuch, oder?

◇ Nein, denn man (7) *behält/erhält* ja laufend Feedback, also Rückmeldungen. Meine (8) *Blogeinträge/Blogvorträge* zum Thema Konsum und Müll werden meist positiv kommentiert und (9) *besorgen/bewirken* vielleicht etwas. Was will man mehr?

□ Ich habe einen Kochblog, „Lea's Küche". Darin präsentiere ich (10) *außergewöhnli-che/banale* Gerichte aus aller Welt. Ich habe schon eine richtige (11) *Fangemeinde/Feindschaft* und liebe es, meine Erfahrungen und Erfolge (12) *zu verheimlichen/weiterzugeben*.

○ Wir sind zu fünft und (13) *betreiben/veranstalten* einen Blog für Geschichtsstudenten. Da diskutieren wir über aktuelle Vorlesungen.

● Habt ihr zum Schluss noch einen Tipp für andere, die einen eigenen Blog (14) *abschließen/einrichten* wollen?

◇ Ich würde sagen: „Traut euch! Es kann eigentlich nichts (15) *glücken/schiefgehen*."

□ Ja! Wer nicht (16) *fragt/wagt*, der nicht gewinnt!

F3 Das Internettagebuch

Welches Wort ist gemeint? Ergänzen Sie und achten Sie auf die korrekte Form.

bloggen • Blogger • ~~Blog~~ • Blogeintrag • Meinungsbeitrag • Informationsaustausch • Internetportal

1. Eine Art Tagebuch, das eine oder mehrere Personen auf einer Webseite führen, ist ein Weblog, kurz _Blog_ genannt.
2. Wer einen Blog betreibt oder daran mitschreibt, ist ein ____________.
3. Ein Blog wird regelmäßig durch ____________________ der Autoren ergänzt.
4. ____________________________ sind Kommentare von Lesern des Blogs.
5. Wenn man __________, heißt das, dass man sich öffentlich zu einem bestimmten Thema in einem Blog äußert.
6. Es gibt private, aber auch firmeneigene _________________________, auf denen man bloggen kann.
7. Das Bloggen ermöglicht schnellen und umfassenden __________________________.

F4 Online

Welches Verb passt nicht? Streichen Sie.

1. Einen Blog ~~bauen~~ – einrichten – erstellen – starten
2. Einen Beitrag verfassen – herstellen – kommentieren – löschen
3. Seine Meinung äußern – sagen – ändern – verändern
4. Eine Webseite anrufen – aufrufen – anklicken – sperren

Wichtige Wörter und Wendungen

der/das Blog (-s) • der Blogeintrag (¨-e) • das Gedächtnis • die Identität (-en) • das Internetportal (-e) • der Meinungsbeitrag (¨-e) ■ (sich) austauschen • bewirken • bloggen • sich trauen • verheimlichen • sich wenden (an + *Akk.*) ■ außergewöhnlich • banal • bedeutungslos ■ aus aller Welt • seine Meinung äußern

F5 Liebe im Internet – Meinungen

Ersetzen Sie die kursiv gedruckten Ausdrücke durch passende Ausdrücke aus dem Schüttelkasten. Achten Sie auf die richtige Form.

schlimm • betrügen • Partnervermittlung • inzwischen • Zweifel • sich bewusst sein • idealer Heiratskandidat • sich ineinander verlieben • offen sagen • Ausnahmefall • die letzte Option • hilfreich • nicht tatenlos abwarten • online • Online-Partnerbörse • leichtgläubig • Erwartung • bevorzugen • extrem viel Geld verdienen • ~~Einkauf~~ • traditionell • Lebensgefährte

Marta: Heutzutage wird viel über das Internet erledigt: *Bestellungen* / (1) Einkäufe, Urlaubsbuchungen usw. Die Partnersuche gehört auch dazu. Es gibt einen großen Markt mit unzähligen *Dating-Portalen* / (2) ____________________. Viele Menschen scheinen sich dafür zu interessieren, auch wenn sie es nicht *zugeben* / (3) ________ ________ möchten. Ich finde das nicht *verwerflich* / (4) ____________.

Tim: Ganz ehrlich: Was für eine Rolle spielt es, wo ich meinen zukünftigen *Partner* / (5) ____________________ kennenlerne? Natürlich ist *im Netz* / (6) __________ die Gefahr größer, dass man angeschwindelt und *getäuscht* / (7) ____________ wird. Man darf nicht zu *vertrauensselig* / (8) ________________ sein.

Leonie: Ich weiß nicht so recht. Im *Einzelfall* / (9) in ________________ mögen *Kontaktbörsen vorteilhaft* / (10) ____________ sein. Ich *ziehe es vor* / (11) ____________ es, jemanden auf *herkömmliche* / (12) ________________ Art und Weise kennenzulernen.

Chris: Für mich wäre eine Online-Partnersuche nur *eine Notlösung* / (13) ____ __________ __________. Man muss *sich im Klaren darüber sein* / (14) ______ __________ ______, dass die *Verkupplung* / (15) ______________________ im Internet eine Industrie ist, mit der *ein Millionengeschäft gemacht* / (16) ________ ______ ________ ____________ wird.

Klara: Also, ich kann schon verstehen, wenn man *dem Zufall auf die Sprünge helfen* / (17) ________ ________ ________ will. Aber ich habe *Bedenken* / (18) ________, ob die Jagd nach dem *Traummann* / (19) ________ ________ im Netz erfolgsversprechend ist. Die *Ansprüche* / (20) ________ sind zu hoch, da bleiben Enttäuschungen nicht aus.

Jan: Meine Frau habe ich in einer Singlebörse kennengelernt. Wir sind *mittlerweile* / (21) ________ zwei Jahre verheiratet und haben ein Kind. Bei uns hat es gepasst! Schon beim ersten Treffen *hat es zwischen uns gefunkt* / (22) ________ ________ ________ ________ ________.

F6 Alles Lüge!

Wie heißen die Verben? Schreiben Sie das Partizip richtig und ergänzen Sie den Infinitiv.

schwindeln • ~~lügen~~ • ausnutzen • vortäuschen • heucheln • hereinlegen

1. Im Netz wird oft (gengelo) *gelogen*. ⟶ *lügen*
2. Superman42 hat Dinge (täuschtgevor) ________, die nicht der Wahrheit entsprechen. ⟶ ________
3. Alles, was er schreibt oder sagt, ist (schwingedelt) ________. ⟶ ________
4. Seine Liebe ist nur (heuchgeelt) ________. ⟶ ________
5. Viele Frauen fühlen sich von ihm (einlegtherge) ________. ⟶ ________
6. Ihre Gutgläubigkeit wurde schamlos (genutztaus) ________. ⟶ ________

Wichtige Wörter und Wendungen

der Einzelfall (¨-e) • der Lebensgefährte (-en) • die Kontakt-/Partner-/Singlebörse (-n) • der Traummann (¨-er) ■ ausnutzen • schwindeln *(ugs.)* • zugeben ■ erfolgsversprechend • hilfreich ■ Bedenken haben • sich im Klaren darüber sein, (dass)

F7 Veranstaltungen

Welche Veranstaltung ist gemeint? Ergänzen Sie.

~~Lesung~~ • Ausstellung • Vernissage • Premiere • Kabarett • Eröffnungskonzert • Musikfestival • Vortragsreihe • Tennisturnier • Eishockeyspiel

1. Heute Abend gibt es im Rathaussaal eine spannende *Lesung* über den Mauerfall.
2. Im Februar startet an der vhs eine ________________ zum Thema Umweltschutz.
3. Wer gern auf eine ________________ geht, hat in der Kunst- und Kulturstadt Berlin die Qual der Wahl.
4. Nächste Woche ist die ________________ von Goethes „Faust" im Residenztheater München.
5. Die Münchner Lach- und Schießgesellschaft steht für politisches ________________.
6. Die Dürer-________________ im Frankfurter Städel Museum 2014 war ein großer Erfolg.
7. Das ________________ der Elbphilharmonie 2017 in Hamburg wurde live im Fernsehen übertragen.
8. Der MercedesCup Stuttgart ist ein internationales ________________.
9. Echte Fans der Kölner Haie sehen sich jedes ________________ an.
10. Kennen Sie das ________________ Rock am Ring, das seit 1985 in der Eifel stattfindet?

F8 Theaterwelt

Welches Verb passt nicht? Streichen Sie.

1. Ein Theaterstück ~~abhalten~~ – aufführen – inszenieren – proben – spielen
2. Eine Rolle besetzen – führen – lernen – spielen – übernehmen
3. Die Bühne betreten – erobern – gestalten – verlassen – verwirklichen
4. Die Vorstellung ist ausgefallen – ausverkauft – gut besucht – vermisst – verschoben

Wichtige Wörter und Wendungen

die Lesung (-en) • die Premiere (-n) • die vhs (= die Volkshochschule, -n) • die Vernissage (-n) • die Vortragsreihe (-n) ■ ausverkauft sein • live übertragen

F9 Kunst in Kassel

Ergänzen Sie. Achten Sie auf die korrekte Form.

einstufen • Jahrhundert • ins Leben rufen • anerkannt • Abstand • künstlerisch • bezeichnen • Kunstszene • gewaltig • prägen • stetig • Künstler • ~~zeitgenössisch~~ • Gegenwartskunst

Alle fünf Jahre findet im hessischen Kassel die bedeutendste (1) zeitgenössische Kunstausstellung der Welt statt, die documenta. Sie wurde 1955 von Arnold Bode (2) ______ __________ ______________. Das Anliegen des Kasseler Kunstprofessors war es damals, Deutschland nach dem Krieg wieder in die internationale (3) ____________________ einzugliedern, indem er (4) ______________ präsentierte, deren Werke in der Nazizeit als „entartet" (5) __________________ wurden. Das Ergebnis war eine Retrospektive europäischer Kunst der ersten Hälfte des 20. (6) ______________. Mit seiner Werkschau gelang es Bode, mehr als 130.000 Besucher anzulocken. Der Informationsbedarf war (7) ______________ und der Erfolg der Ausstellung übertraf alle Erwartungen. Es folgten, zunächst in unregelmäßigen (8) ________________, weitere Ausstellungen, wobei die Besucherzahl (9) __________ stieg. Zur documenta 13 im Jahr 2012 kamen 860.000 Besucher. Die documenta steht heute nicht nur für eine Bestandsaufnahme der internationalen (10) __________________________, sondern vor allem auch für den (11) __________________________ Dialog und für Diskussionen im Spannungsfeld von Kunst, Gesellschaft und Politik. Sie ist in dieser Hinsicht eine international (12) ____________________ Institution, an der man sich orientiert. Seit 1972 (13) ____________ die wechselnden künstlerischen Leitungen den Charakter der Weltausstellung. Die documenta dauert 100 Tage und wird als „Museum der 100 Tage" (14) ____________________. In dieser Zeit steht sie im Mittelpunkt der internationalen Kunstwelt.

Wichtige Wörter und Wendungen

der Abstand (¨-e) • die Institution (-en) • die Nazizeit (NS-Zeit) ■ anlocken • bezeichnen • einstufen • prägen ■ gewaltig • künstlerisch • zeitgenössisch ■ alle Erwartungen übertreffen • in dieser Hinsicht • mein Anliegen ist es, (zu + *Inf.*)

F10 Sport ist nicht gleich Sport

Was gehört zusammen? Ordnen Sie zu.

1. Breitensport
2. Leistungssport
3. Spitzensport
4. Freizeitsport
5. Ausgleichssport
6. Extremsport

a) Damit sind Sportarten gemeint, die an die menschliche Leistungsgrenze gehen und als gefährlich gelten. Die Sportler suchen die Herausforderung und den Nervenkitzel.

b) Dieser Sport dient vorrangig der Erholung und Entspannung, vor allem nach einem anstrengenden Arbeitsalltag.

c) Ein anderer Ausdruck für Breitensport. Der Sport wird als Hobby betrieben und soll Spaß machen.

d) Junge Sporttalente werden im Verein systematisch gefördert und trainiert, damit sie erfolgreich Wettkämpfe bestreiten.

e) Unabhängig von Alter und Leistung ist dieser Sport grundsätzlich für jeden geeignet, der Freude an der Bewegung hat und Geselligkeit sucht.

f) Er ist die Weiterführung des Leistungssports. Ziel sind internationale Wettkämpfe, Rekorde und öffentliche Anerkennung.

1	2	3	4	5	6
e					

Wichtige Wörter und Wendungen

die Anerkennung • die Entspannung • die Geselligkeit • die Leistungsgrenze (-n) • der Wettkampf (¨-e) ■ grundsätzlich • unabhängig ■ als gefährlich gelten • Wettkämpfe bestreiten

F11 Sportarten

Welche Sportart passt nicht? Kreuzen Sie an.

1. Wintersport:
   ○ Eislaufen ○ Skifahren ○ Rodeln ○ Eishockey ⊗ Badminton
2. Kampfsport:
   ○ Boxen ○ Ringen ○ Yoga ○ Judo ○ Karate
3. Wassersport:
   ○ Rudern ○ Tauchen ○ Segeln ○ Weitsprung ○ Wasserski
4. Ballsport:
   ○ Speerwerfen ○ Handball ○ Volleyball ○ Basketball ○ Golf
5. Mannschaftssport:
   ○ Wasserball ○ Fußball ○ Turnen ○ Hockey ○ Drachenbootfahren

F12 Freizeitkegeln

Wie heißen die Nomen? Ergänzen Sie die fehlenden Vokale.

Ob privat oder im (1) K_e_g_e_lkl_u_b, ein (2) K__g__l__b__nd mit Freunden macht vielen Menschen Spaß. Feste (3) Sp__ __lr__g__ln gibt es nicht, dafür umso mehr (4) V__r__ __nt__n. Es geht darum, seine (5) G__sch__ckl__chk__ __t unter Beweis zu stellen und möglichst viele der neun Kegel mit einem (6) W__rf umzustoßen. Die Kugel hat zwei (7) L__ch__r und wird mit Daumen und (8) Z__ __g__f__ng__r gehalten. Jeder hat abwechselnd einen Wurf. Man spielt mehrere Runden. Ein Wurf ohne (9) Tr__ff__r wird als (10) N__llr__nd__ bezeichnet. Die Person oder das Team mit den meisten Treffern gewinnt.

Wichtige Wörter und Wendungen

der Daumen (-) • die Kugel (-n) • die Spielregel (-n) • der Treffer (-) • die Variante (-n) • der Wurf (¨-e) • der Zeigefinger (-) ■ abwechselnd ■ es geht darum, (zu + *Inf.*) • unter Beweis stellen

G Mobilität und Reisen

G1 Carsharing

Ergänzen Sie. Achten Sie auf die korrekte Form.

Mietwagen • speziell • vermeiden • ~~Verkehrsmittel~~ • kommerziell • Benutzung • in Betracht ziehen • registrieren • praktizieren • Stundenpauschale • verbreiten • wiedererkennbar • Konditionen • Anbieter

Viele Leute benutzen nur selten ihr Auto, weil sie lieber mit öffentlichen (1) Verkehrsmitteln unterwegs sind, zu Fuß gehen oder Rad *(CH: Velo)* fahren. Da liegt es nahe, Alternativen zum eigenen Wagen (2) ___ __________ zu __________, wenn man unnötige Kosten (3) __________ möchte. Carsharing liegt im Trend: Es bedeutet, dass man sich gemeinsam mit anderen ein Auto teilt. Während das private Carsharing schon lange (4) __________ wird, gibt es heute auch viele kommerzielle (5) __________. Vor allem in größeren Städten ist es weit (6) __________. Beim (7) __________ Carsharing mietet man das Auto. Der Unterschied zum üblichen (8) __________ besteht darin, dass man sich beim betreffenden Anbieter (9) __________ lassen muss und dass man das Auto auch zur kurzen (10) __________ mieten kann. Es gibt unterschiedliche Anbieter, die unterschiedliche (11) __________ haben. Via Internet wird gemietet, oft gibt es (12) __________ Apps für das Smartphone. Die Abrechnung erfolgt z. B. über Kreditkarte und wird nach (13) __________ und Kilometerpreis ermittelt. Benzin ist inklusive. Die Autos eines Anbieters sind standardisiert und leicht (14) __________. Aktuellen Umfragen zufolge wird das Interesse an Carsharing weiter wachsen und der Markt sich vergrößern.

Wichtige Wörter und Wendungen

die Abrechnung (-en) • die/das App (-s) • die Benutzung • die Pauschale (-n) ■ registrieren • verbreitet sein ■ betreffend • kommerziell • unnötig ■ der Unterschied besteht in etw. *(Dat.)* • es liegt nahe, (dass) • in Betracht ziehen

G2 Tipps für Berufspendler

Wie heißen die Wörter? Ergänzen Sie die fehlenden Vokale.

1. Beim Autofahren kann man mit einem erg__n__misch__n Sitzkissen *(A: Sitzpolster)* einer falschen Sitzhaltung entgegenwirken.
2. Im Zug hilft ein Nack__nk__ss__n *(A: Nackenpolster)*, den Kopf zu stützen und Verspannungen vorz__b__ __g__n, wenn man sich ein Schläfchen gönnen möchte.
3. Nicht immer ist Zugluft verm__ __db__r. Ein H__lst__ch oder ein Schal kann einem auch im Sommer nützliche Dienste erweisen.
4. Denken Sie daran, sich so zu kleiden, dass Sie auf Temperatur- und W__tt__r-wechs__l reagieren können, also am besten im bewährten Zw__ __belprinz__p.
5. Eine Flasche Wasser darf nie fehlen, wenn Sie frisch und munter am Arbeitsplatz ersch__ __n__n wollen. Für den Nachh__ __s__w__g gilt dasselbe.
6. Ebenso wie Fl__ssigk__ __t sollte ein Snack für alle Notfälle vorrätig sein, damit Ihr Blutzucker nicht dr__mat__sch sinkt.
7. Im öffentlichen N__hverk__hr sind gute K__pfhör__r Gold wert. Sparen Sie nicht am falschen Platz.
8. Telefonieren im Auto ist nur mit einer Fr__ __sprechanl__g__ erlaubt. Dennoch muss man sich bewusst sein, dass das eine gefährliche Abl__nk__ng sein kann.
9. Die Zeit in Zug oder Bahn sollte man nutzen: Sorgen Sie für Entspannung, besch__ft__g__n Sie sich mit dem Arb__ __tst__g oder bilden Sie sich weiter.
10. Versuchen Sie, nicht die gesamte Wegstr__ck__ im Auto oder Zug abzusitzen, sondern auch ein paar Schritte an der frischen Luft einz__pl__n__n.

Wichtige Wörter und Wendungen

die Ablenkung (-en) • die Freisprechanlage (-n) • das Halstuch (¨-er) • der Kopfhörer (-) • der Nahverkehr • der Schal (-s) • die Zugluft ■ sich bewusst sein • erscheinen • (sich) etw. gönnen • vorbeugen ■ bewährt • munter • vermeidbar ■ am falschen Platz sparen • Gold wert sein • jdm einen Dienst erweisen

G3 Immer mobil sein

Was passt? Kreuzen Sie jeweils die zwei richtigen Varianten an.

1. Mobil im Beruf zu sein, heißt,
   - ⊗ eventuell lange Fahrzeiten ins Büro auf sich zu nehmen.
   - ⊗ bereit zu sein, den Arbeitsort zu wechseln.
   - O dem Privatleben immer den Vorrang zu geben.
   - O Auslandseinsätze zu meiden.

2. Unter Mobilität versteht man auch,
   - O flexibel zu sein und sich auf Neues einstellen zu können.
   - O Veränderungen grundsätzlich abzulehnen.
   - O offen für die persönliche Weiterentwicklung zu sein.
   - O Entscheidungen aufzuschieben.

3. Mobilität im Privatleben bedeutet z. B.,
   - O feste Strukturen und Lebenspläne zu besitzen.
   - O eine Fernbeziehung zu führen.
   - O aufgrund von Dienstreisen unregelmäßig zu Hause zu sein.
   - O jeden Tag ähnlich zu gestalten.

4. In Bezug auf die eigene Person heißt mobil zu sein,
   - O körperlich nur eingeschränkt oder gar nicht beweglich zu sein.
   - O in jeder Hinsicht auf fremde Hilfe angewiesen zu sein.
   - O trotz des Alters aktiv am Alltag teilnehmen zu können.
   - O geistig wach und rege zu sein.

Wichtige Wörter und Wendungen

der Auslandseinsatz (¨-e) • die Dienstreise (-n) • die Fahrzeit (-en) • die Struktur (-en) • die Veränderung (-en) ■ angewiesen sein (auf + *Akk.*) • sich einstellen (auf + *Akk.*) • meiden ■ beweglich • eingeschränkt • rege ■ auf sich nehmen • eine Fernbeziehung führen

G4 Ein Auslandssemester – Interview

Was passt nicht? Streichen Sie.

● Maren und Leo, ihr habt beide ein Auslandssemester (1) *absolviert/~~verbracht~~* und seid bereit, unseren Hörern davon zu berichten. Wo wart ihr genau?

□ Also, ich war in Barcelona und habe dort (2) *Wirtschaft/Wissenschaft* studiert.

◇ Ich bin (3) *Lehrling/Student* der Psychologie und war in San Diego in den USA.

● Mal von vorne: Worauf muss man bei der Planung (4) *achten/beobachten*?

◇ Die Vorbereitung kostet Zeit. Ich war über ein halbes Jahr mit (5) *Spezialitäten/ Formalitäten* beschäftigt. Man muss ja auch erst das Land und die (6) *passende/sinnvolle* Universität auswählen.

□ Man braucht ein Visum, muss die Flüge und natürlich (7) *eine Bleibe/ein Versteck* organisieren, nicht zu vergessen die eigentliche Bewerbung mit dem Sprachnachweis.

◇ Ja, vor allem der Sprachtest ist nicht zu (8) *überprüfen/unterschätzen*.

● Wie war es dann vor Ort? Habt ihr euch (9) *kompliziert/problemlos* eingelebt und Kontakte geknüpft?

◇ Da ich in einer Wohnanlage mit vielen Studenten gewohnt habe, habe ich sofort (10) *Abschluss/Anschluss* gefunden. Die Kurse an der Uni waren sehr (11) *anspruchsvoll/anmaßend*. Das Freizeitleben kam aber nicht zu kurz. San Diego bietet einiges. Dort hatte ich die bis jetzt beste Zeit meines Lebens!

□ Mir ging es ähnlich. Obwohl in Spanien vieles anders ist als bei uns, möchte ich die intensiven Erfahrungen dieser Zeit nicht (12) *missen/vermissen*.

● Vielen Dank euch beiden für das informative Gespräch.

Wichtige Wörter und Wendungen

das Auslandssemester (-) • die Formalität (-en) • der Sprachnachweis (-e) ■ absolvieren • sich einleben • empfinden • unterschätzen ■ anspruchsvoll • informativ • passend • problemlos ■ Anschluss finden • Kontakte knüpfen • vor Ort • zu kurz kommen

G5 Reisearten

Für welche Art der Reise wird geworben? Ordnen Sie zu.

1. Städtereise
2. Badereise
3. Kulturreise
4. Wellnessreise
5. Abenteuerreise

a) Reisen bildet und bringt neue Erfahrungen und andere Sichtweisen. Authentisch, intensiv und erlebnisreich vermitteln wir Ihnen einen Zugang zu fremden Welten.

b) Sie interessieren sich für Metropolen in Europa wie Berlin, London oder Paris? Sie wollen Kultur erleben, aber auch schlemmen und shoppen? Dann sind Sie bei uns richtig.

c) Sie leiden unter Stress und wollen neue Kraft schöpfen? Lassen Sie sich bei uns verwöhnen! Dampfbad, Sauna, Fitnessgeräte, Massagen und Anwendungen warten auf Sie.

d) Erleben Sie, wovon Sie bisher nur geträumt haben! Unvergesslich, außergewöhnlich, atemberaubend! Aktivurlaub für Mutige! Wir beraten Sie gern.

e) Wenn Sie eine Auszeit benötigen und vom Alltag abschalten wollen, wenn Sommer, Sonne, Strand und Meer Sie locken, dann finden Sie bei uns eine Vielfalt an Angeboten.

1	2	3	4	5
b				

Wichtige Wörter und Wendungen

die Auszeit (-en) • das Fitnessgerät (-e) • die Sichtweise (-n) • die Vielfalt ■ abschalten • locken • vermitteln • verwöhnen • werben (für + *Akk.*) ■ atemberaubend • außergewöhnlich • authentisch • erlebnisreich • unvergesslich ■ einen Zugang vermitteln zu jdm/etw. • Kraft schöpfen • richtig sein bei jdm

G6 Unterkünfte

Welche Unterkunft ist gemeint? Ergänzen Sie.

~~Vier-Sterne-Hotel~~ • Frühstückspension • Motel • Ferienwohnung • Jugendherberge • Wohnwagen • B&B

1. Jemand, der im Urlaub besonders komfortabel wohnen möchte und nicht aufs Geld schauen muss, bucht ein Vier-Sterne-Hotel.
2. Unter der englischen Abkürzung für „bed and breakfast" ______ versteht man eine Übernachtungsmöglichkeit in einer privaten Unterkunft inklusive Frühstück.
3. Eine ____________________ bezeichnet ganz allgemein eine preisgünstige Unterkunft. Dabei müssen die Gäste nicht ausschließlich jugendlich sein.
4. Für Leute, die mit dem Auto unterwegs sind und übernachten möchten, gibt es in der Nähe von Fernstraßen sogenannte ________s. Dort sind genügend Parkplätze vorhanden. Man kann wie im Hotel essen und übernachten.
5. Wenn man unabhängig von festen Unterkünften sein möchte und gerne campt (*A: campiert*), kann man im eigenen ______________ oder im Zelt nächtigen.
6. Wer auf etwas mehr Platz oder auf eine Kochmöglichkeit Wert legt, wird eine ____________________ oder ein Ferienhaus mieten. Im Vergleich zu anderen Unterkünften ist hier das Preis-Leistungsverhältnis meist besonders gut.
7. Ein eher einfaches, oft familiär geführtes Gästehaus, wo man auch frühstücken kann, nennt man eine ____________________.

Wichtige Wörter und Wendungen

die Abkürzung (-en) • die Ferienwohnung (-en) • das Gästehaus (¨-er) • das Motel (-s) • das Preis-Leistungsverhältnis • das Vier-Sterne-Hotel (-s) • der Wohnwagen (-) ■ campen • vorhanden sein ■ familiär • genügend • jugendlich • preisgünstig • unabhängig ■ aufs Geld schauen • Wert legen auf etw. *(Akk.)*

G7 Unterwegs

Welches Verb passt nicht? Streichen Sie.

1. Eine Reise — absagen – antreten – unternehmen – ~~verlassen~~
2. Eine Unterkunft — besorgen – brauchen – finden – versorgen
3. In einem Hotel — absteigen – umsteigen – übernachten – untergebracht sein
4. Im Hotel — einchecken – auschecken – einreisen – bleiben
5. Den Zimmerservice — ändern – in Anspruch nehmen – nutzen – rufen
6. Im Urlaub — ausspannen – ausruhen – entspannen – entkommen

G8 Gast im Hotel

Was passt? Bilden Sie die richtigen Komposita.

~~durch-~~ • Empfangs- • kosten- • Mini- • nahe- • Ruhe- • selbst- • Speise- • wunder- •
-bar • -Bereich • -eigenen • -gelegenheiten • -Gerät • -haus • -raum •
-terrasse • -zugang

1. Die Rezeption ist _durch_gehend besetzt. Unser ________personal informiert Sie über alles Wichtige im Hotel.
2. Der Frühstücks________ und der ________saal befinden sich im ersten Stock.
3. Alle Zimmer sind mit ________bar und TV-________ ausgestattet.
4. Selbstverständlich bieten wir Ihnen ________losen Internet________.
5. Unsere Hotel______ ist berühmt für ihre ________gemixten Cocktails.
6. Genießen Sie auch unsere ________schöne Aussichts________.
7. Im hotel________ Spa-________ warten Bäder und ________zonen auf Sie.
8. Park________________ gibt es im ________gelegenen Park________.

Wichtige Wörter und Wendungen

das Empfangspersonal • der Frühstücksraum (¨-e) • der Internetzugang (¨-e) • die Minibar (-s) • das Parkhaus (¨-er) • der Speisesaal (-säle) • der Zimmerservice ■ auschecken • ausgestattet sein (mit + *Dat.*) • einchecken ■ durchgehend • hoteleigen ■ in Anspruch nehmen • in einem Hotel absteigen

G9 Hotelbewertungen

Ersetzen Sie die kursiv gedruckten Ausdrücke durch passende Ausdrücke aus dem Schüttelkasten. Achten Sie auf die richtige Form.

in Ordnung • abgewohnt • kritisieren • positiv anmerken • bestens auf Kinder eingestellt • hilfsbereit • sehr viel Platz bieten • bemängeln • ~~außerhalb~~ • renovieren • an der Rezeption • altes Hotel

Uwe G.: Das Hotel liegt zwar etwas *abseits* / (1) außerhalb aber mit guter Anbindung zur Stadt. Die Zimmer sind hell und *sehr geräumig* / (2) ________ ________ ________ ________. Das Personal ist ausgesprochen freundlich und *entgegenkommend* / (3) ________. An diesem Hotel gibt es wirklich nichts *auszusetzen* / (4) ____ ________!

Anonym: Viel zu *alter Schuppen* / (5) ________ ________! Müsste dringend mal *modernisiert* / (6) ________ werden. In den Zimmern fühlt man sich wie in den Sechzigern! *Ein Pluspunkt* / (7) ________ ________ ist, dass das Personal höflich und aufmerksam ist.

Leonie B.: Das Hotel ist *okay* / (8) ____ ________. Die Zimmer waren einwandfrei, wenn auch etwas *in die Jahre gekommen* / (9) ________. Nichts zu *beanstanden (A: beanständen)* / (10) ________ gab es beim umfangreichen Frühstück und natürlich beim superfreundlichen Personal *am Empfang* / (11) ____ ____ ________.

Familie Heller: Für Familien ideal! Das Hotel ist *sehr kinderfreundlich* / (12) ________ ____ ________ ________. Gerne wieder!

Wichtige Wörter und Wendungen

der Pluspunkt (-e) • der Schuppen • die Sechziger (= sechziger Jahre) ■ (positiv/negativ) anmerken • beanstanden ■ einwandfrei • hilfsbereit • kinderfreundlich • umfangreich ■ in die Jahre kommen • Platz bieten

G10 Der Bernina Express

Ergänzen Sie. Achten Sie auf die korrekte Form.

Touristenattraktion • begeistern • Brücke • Schweizer • Wagon • Meeresspiegel • weltberühmt • betragen • ~~Bergstrecke~~ • bewältigen • einzigartig • erhöhen • Höhepunkt • italienisch • ungehindert

Es mag die schönste (1) *Bergstrecke* in den Alpen sein, die man mit der Bahn zurücklegen kann. Ausgehend von der (2) ________ Stadt Chur im kalten Norden führt sie hinunter ins südlich gelegene (3) ________ Tirano und sogar weiter mit dem Bus nach Lugano. Die Fahrt mit dem Bernina Express ist unvergleichlich und (4) ________.

Bereits 1906 begann man mit dem Bau der Teilstrecken. Den (5) ________ gewordenen Bernina Express gibt es seit 1969. In den 2000er Jahren begann man, die (6) ________ mit großflächigen Fenstern auszustatten und den Komfort zu (7) ________. Heute reist man in vollklimatisierten Panoramawagen, in denen man (8) ________ die phänomenale Bergkulisse bewundern kann. Der Bernina Express ist zur (9) ________ geworden. Die Fahrt von Chur bis Tirano dauert etwa 4 Stunden. Man fährt über 96 (10) ________ und durch 55 Tunnel. Die Steigung (11) ________ dabei bis zu unglaubliche 7 Prozent. Die höchste Bahnstation liegt auf 2253 Metern über dem (12) ________. 1824 Höhenmeter werden überwunden, 122 Streckenkilometer (13) ________. Pässe, Gletscher, Viadukte, Burgen, Schluchten, Täler, Bergseen und schließlich Palmen erwarten die Fahrgäste. Ein (14) ________ jagt den anderen. Natur, Kultur und Architektur (15) ________ gleichermaßen. Seit 2008 sind Teile der Bahnlinie sogar UNESCO-Welterbe.

Wichtige Wörter und Wendungen

die Alpen (*Pl.*) • der Bau • die Bahnlinie (-n) • der Fahrgast (¨-e) • die Palme (-n) • die Touristenattraktion (-en) • das UNESCO-Welterbe • der Wagon (-s) ■ ausstatten (mit + *Dat.*) • begeistern • betragen • bewältigen ■ einzigartig • phänomenal • ungehindert • weltberühmt

H Natur und Umwelt

H1 Stadtleben kontra Landleben

Ergänzen Sie. Achten Sie auf die korrekte Form.

abwägen • Alternative • Natur • erreichbar • ~~Idylle~~ • Hektik • in Kauf nehmen • erkennbar • langfristig • Lebensunterhalt • ansiedeln • schmackhaft • Schattenseite • Nachtleben • verpestet • kulturell • den Vorzug geben • zwingend

Soll man der (1) Idylle des Landlebens oder lieber der (2) ________ des Großstadtlebens (3) ____ ________ ________? Beides hat Vor- und Nachteile. Großstadt bedeutet Vielfalt des (4) ________ Angebots, Einkaufsmöglichkeiten ohne Ende, uneingeschränktes (5) ________ und genügend soziale Kontakte vor Ort. Auch ein Auto ist nicht (6) ________ notwendig, da mit öffentlichen Verkehrsmitteln alles gut (7) ________ ist. Die (8) ________ des Stadtlebens sind u.a. hohe Lebenskosten, Lärmbelästigungen und (9) ________ Luft.

Auf dem Land dagegen erlebt man die (10) ________. Kein Verkehrslärm, keine nächtlichen Ruhestörungen, dafür frische Luft und viel Grün! Der (11) ________ ist günstiger und das Obst und Gemüse aus dem eigenen Garten viel (12) ________ als aus dem Supermarkt. Dafür muss man lange Anfahrtswege zum Arbeitsplatz (13) ____ ________ ________. Wer sich entscheiden muss, muss Pro und Kontra sorgfältig (14) ________. Nicht immer hat man wirklich eine (15) ________. Weltweit ist jedoch ein Trend zur Landflucht (16) ________. Immer mehr Menschen (17) ________ sich in der Stadt ____. Welche Auswirkungen das (18) ________ auf einzelne Regionen haben wird, bleibt abzuwarten.

Wichtige Wörter und Wendungen

die Auswirkung (-en) • die Hektik • die Idylle • die Lebenskosten *(Pl.)* • der Lebensunterhalt ■ abwarten • abwägen • verpesten ■ erkennbar • erreichbar • kulturell • langfristig • sorgfältig ■ den Vorzug geben • in Kauf nehmen • u. a. = unter anderem

H2 Der deutsche Wald

Wie heißen die Wörter? Ergänzen Sie die fehlenden Vokale.

Deutschland ist ein (1) w_a_ldr_e_i_ch_e_s Land. Ein Drittel seiner Fläche besteht aus Wald. Bis zum (2) Mitt__lalt__r gab es noch weit mehr Waldgebiete. Sie verschwanden, als man anfing, Ackerbau zu (3) betr__ __b__n und Holz zu verarbeiten. Holz war immer ein wichtiger Bau- und Brennstoff und für die (4) W__rtsch__ft bedeutsam.
Aber der Wald (5) erf__llt__ auch andere Bedürfnisse. Früher glaubte man, dass die Wälder von (6) G__ __stern und anderen Gestalten bewohnt seien. Der Wald war (7) geh__ __mnisv__ll. Später, in der Romantik, entdeckte man den Wald als Ort der Stille und Sehnsucht. Er ist Thema in der deutschen Literatur, Musik und (8) Mal__r__ __. Im Märchen (9) verl__ __f__n sich Hänsel und Gretel im dunklen Wald. In Volksliedern wird er besungen, in Landschaftsbildern dargestellt. In der Zeit der (10) Ind__str__ __lis__ __r__ng wurde der Wald idealisiert. Er war (11) Symb__l für die Natur und die heile Welt. So verwundert es nicht, dass das (12) W__ldsterb__n in den 80er Jahren hierzulande mit großen Ängsten verbunden war. Man war geschockt und (13) bes__rgt über den Zustand des Waldes. In der Politik sah man sich gezwungen, schnell zu handeln und (14) Schutzm__ßnahm__n zu ergreifen.
Der Wald ist in Deutschland ein (15) z__ntral__s Kulturgut, er ist Mythos und Lebensgefühl zugleich. Er hat einen hohen (16) Fr__ __zeitw__rt, aber auch wichtige wirtschaftliche und (17) ök__l__g__sch__ Funktionen. Er ist Heimat von Pflanzen und Tieren. Es gibt Waldlehrpfade und (18) W__ldkind__rg__rt__n. Bis heute haben die Deutschen eine besondere Beziehung zum Wald.

Wichtige Wörter und Wendungen

der Freizeitwert • das Kulturgut (¨er) • die Malerei • der Mythos (-en) • die Sehnsucht (¨e) ■ besorgt sein (über + *Akk.*) • geschockt sein (über + *Akk.*) ■ geheimnisvoll • ökologisch ■ heile Welt • Maßnahmen ergreifen • sich gezwungen sehen, (etw. zu tun)

H3 Im Wald

Was passt nicht? Streichen Sie.

1. Laubbäume: Buche – Eiche – Birke – ~~Tanne~~ – Linde
2. Nadelbäume: Fichte – Kastanie – Kiefer – Tanne – Lärche
3. Waldtiere: Wal – Reh – Hase – Fuchs – Hirsch
4. Waldfrüchte: Erdbeere – Brombeere – Hagebutte – Birne – Himbeere
5. Tätigkeiten im Wald: Pilze (*A: Schwammerl*) sammeln – jagen – Bäume fällen – joggen – tauchen

H4 Wälder

Was ist gemeint? Ergänzen Sie das richtige Nomen.

Forst • Mischwald • ~~Regenwald~~ • Revier • Urwald

1. Der immergrüne tropische Wald ist der *Regenwald.*
2. Ein von Menschen unberührter Wald heißt ___________
3. Ein ________________ ist ein Wald aus Laub- und Nadelbäumen.
4. Ein Waldstück, für das ein Förster zuständig ist und in dem gejagt werden darf, ist ein ___________.
5. Die bewirtschafteten Teile eines Waldes nennt man _________.

Wichtige Wörter und Wendungen

die Buche (-n) • die Fichte (-n) • der Laubbaum (¨-e) • der Nadelbaum (¨-e) ■ fällen • jagen ■ tropisch • unberührt

H5 Artensterben

Was passt nicht? Streichen Sie.

1. Manche Tier- und Pflanzenarten sind vom Aussterben *bedroht/~~gezwungen~~*.
2. Die sogenannten Roten Listen geben einen *Überblick/Ausblick* über gefährdete Tiere und Pflanzen.
3. Auch viele *geheime/einheimische* Tiere und Pflanzen sind betroffen und müssen geschützt werden.
4. Der Klimawandel trägt dazu bei, dass sich die Lebensräume der Tiere verändern und ihre Existenz *verringert/bedroht* wird.
5. Schadstoffe *vergiften/entgiften* Boden, Luft und Wasser und führen zum Artensterben.
6. *Mäßige/Intensive* Landwirtschaft und Monokulturen statt blühender Wiesen machen den Tieren das Überleben schwer.
7. Manchmal können sich neue, fremde Pflanzen und Tiere ungehindert *ausbreiten/vergrößern*, sodass das natürliche Gleichgewicht der Organismen gestört wird.
8. Auch der *illegale/gesetzliche* Handel mit wilden Tieren ist einer der Gründe für das Artensterben.
9. *Gegenmaßnahmen/Vorbereitungen* können die Planung und Einrichtung von weiteren Naturschutzgebieten sein.
10. Wichtig ist auch die *nachhaltige/grenzenlose* Nutzung der Natur und ihrer Ressourcen.

Wichtige Wörter und Wendungen

die Existenz • das Gleichgewicht • der Klimawandel • der Lebensraum (¨-e) • das Naturschutzgebiet (-e) • die Ressourcen *(Pl.)* • der Schadstoff (-e) • das Überleben ■ bedrohen • beitragen (zu + *Dat.*) • betroffen sein • gefährdet sein • vergrößern • verringern ■ geheim • gesetzlich • illegal • intensiv • mäßig • wild

H6 Naturparks

Was gehört zusammen? Ordnen Sie zu.

1. Bayerischer Wald (Deutschland)
2. Lüneburger Heide (Deutschland)
3. Wildnispark Zürich (Schweiz)
4. Belluneser Dolomiten (Italien)
5. Donau-Auen (Österreich)

a) Hier kann man sich direkt vor den Toren der Stadt erholen. Es gibt einen Naturwald und einen Tierpark mit Wildtieren sowie ein Besucherzentrum mit Museum.

b) Die größte Waldlandschaft Mitteleuropas ist eine Ferienregion mit vielen Ausflugszielen. Das Waldgebirge ist um die 1000 Meter hoch und lädt zu Wandertouren ein.

c) Diese alte Kulturlandschaft ist sehr ländlich geprägt. Es gibt Wälder, Wiesen und Felder, aber auch Flüsse und Moore. Von den Pflanzen ist das Heidekraut das bekannteste.

d) Als Naherholungsraum für die Wiener bietet diese unverbaute Flusslandschaft Natur pur. Der Nationalpark ist Lebensraum für unzählige Tiere und Pflanzen.

e) Der Nationalpark umfasst verschiedene Täler und Gebirgsketten. Er ist landschaftlich äußerst reizvoll und wegen seiner Pflanzenarten von naturwissenschaftlichem Interesse.

1	2	3	4	5
b				

Wichtige Wörter und Wendungen

der Naturpark (-s) • der Nationalpark (-s) • die Pflanzenart (-en) • die Wandertour (-en) • das Wildtier (-e) ■ geprägt sein • umfassen ■ ländlich • naturwissenschaftlich • reizvoll

H7 Erneuerbare Energien

Was passt? Kreuzen Sie jeweils die zwei richtigen Varianten an.

1. Sonne
   - ⊗ Die Sonne ist als Energiequelle unerschöpflich.
   - ○ Solarenergie hat als Energiequelle wenig Bedeutung.
   - ⊗ Das Sonnenlicht schenkt uns Wärme, die in Strom umgewandelt werden kann.

2. Wind
   - ○ Schon früher hat man mit Windmühlen die Windkraft genutzt, um z. B. Getreide zu mahlen.
   - ○ Windenergie ist konstant und unabhängig von äußeren Einflüssen.
   - ○ Windräder werden sowohl an Land als auch im Wasser aufgestellt.

3. Wasser
   - ○ Seit Jahrhunderten wird mithilfe von Wasser Energie erzeugt.
   - ○ Die Energie entsteht durch die Strömung des Wassers, d.h. durch Bewegung.
   - ○ Aus Meerwasser lässt sich keine Energie gewinnen.

4. Erdwärme
   - ○ Erdwärme ist nur begrenzt verfügbar.
   - ○ Erdwärme, auch Geothermie genannt, ist Wärme aus der Tiefe der Erdoberfläche, mit der man heizen oder Strom erzeugen kann.
   - ○ Je tiefer man in die Erde vordringt, desto wärmer wird es.

5. Biomasse
   - ○ Als Bioenergieträger spielt Holz keine Rolle.
   - ○ Biomasse kann fest, flüssig oder gasförmig sein und dient der Wärme-, Strom- oder Treibstoffgewinnung.
   - ○ Aus Pflanzen wie Mais oder Raps wird z. B. Treibstoff hergestellt.

Wichtige Wörter und Wendungen

der Energieträger (-) • die Erdwärme • das Getreide • der Mais • die Solarenergie • die Stromgewinnung • die Strömung (-en) • der Treibstoff • das Windrad (¨er) ■ aufstellen • erzeugen • mahlen ■ äußerer • erneuerbar • flüssig • gasförmig • unerschöpflich • verfügbar ■ eine Rolle spielen

H8 Naturkatastrophen

Welche Naturkatastrophe ist gemeint? Ergänzen Sie.

Vulkanausbruch • ~~Erdbeben~~ • Dürre • Orkan • Schneelawine • Tsunami • Hochwasser

1. Eine der häufigsten Naturkatastrophen sind _Erdbeben_. Sie können unterschiedlich stark sein, Gebäude zerstören und Menschen töten. In Ländern wie Japan und Neuseeland gehören sie zum Alltag.
2. Erdbeben, die unter dem Meer stattfinden, heißen Seebeben. Wenn sie riesige Flutwellen auslösen, spricht man von ___________s, die zu Überschwemmungen an den Küsten führen können.
3. Viel Schnee in den Bergen kann gefährlich werden, wenn die Schneemassen nach unten stürzen. ___________n können sehr schnell werden und Menschen, Straßen und Häuser verschütten.
4. Wenn ein Berg aktiv ist und Feuer spuckt, treten Lava und Gas aus. Man spricht dann von einem ___________ oder einer Eruption. Nur selten sind sie lebensbedrohlich.
5. In subtropischen Regionen wechseln sich Regen- und Trockenzeiten ab. Kommt es dabei zu ungewöhnlich langer Trockenheit mit extremem Wassermangel, herrscht ___________.
6. Die globale Klimaerwärmung hat vermehrte Niederschläge zur Folge. Wenn zusätzlich der Schnee schmilzt, besteht in Flusstälern erhöhte Gefahr von ___________ und Überflutungen.
7. ___________e sind starke Winde über Mittel- und Nordeuropa. Sie können schwere Schäden anrichten und sind vergleichbar mit tropischen Wirbelstürmen.

Wichtige Wörter und Wendungen

das Erdbeben (-) • das Hochwasser • die Klimaerwärmung • die Lawine (-n) • die Naturkatastrophe (-n) • der Niederschlag (¨-e) • die Überschwemmung (-n) ■ (sich) abwechseln • schmelzen • spucken • töten • vergleichbar sein (mit + *Dat.*) ■ lebensbedrohlich ■ Schaden anrichten

H9 Meinungen zum Klimawandel

Was passt? Bilden Sie die richtigen Komposita.

Dauer- • Eis- • Haupt- • Küsten- • Treibhaus- • Vieh- • Wasser- • Zusammen-
-ausstoß • -bereitschaft • -effekt • -handel • -schmelze • -schutz •
-spiegel • ~~-wandel~~

Nele H.: Der (1) Klima *wandel* ist zu Recht ein (2) ________thema. Natürlich hat sich das Klima schon immer geändert. Es gab die (3) ______zeiten. Aber heute sind viele Veränderungen von uns selbst verursacht und das dürfen wir nicht hinnehmen.

Lukas N.: Als besonders problematisch betrachte ich die (4) Gletscher____________ in den Alpen, aber auch andernorts. Gletscher sind wichtige (5) __________speicher, die irgendwann mal wegfallen. Außerdem steigt der (6) Meeres__________ kontinuierlich an und bedroht die (7) __________gebiete. Und das alles passiert rasend schnell.

Emma L.: Der (8) Treibhaus__________ wird sich verstärken und die Erde weiter erwärmen, solange ungehemmt CO_2 produziert wird. Da der (9) Emissions-__________ nicht richtig funktioniert, werden in den Fabriken immer noch zu viele (10) ______________gase freigesetzt. Und denkt man an den (11) Methan____________ in der Landwirtschaft und (12) ________zucht …

Daniel R.: Das (13) ________problem ist wohl die unzureichende internationale (14) ______________arbeit. Man muss sich weltweit für den (15) Klima____________engagieren. Die (16) Einsatz__________________ vieler Länder lässt aber zu wünschen übrig.

Wichtige Wörter und Wendungen

die Eiszeit (-en) • der Gletscher (-) • das Hauptproblem (-e) • der Klimaschutz • der Meeresspiegel • der Treibhauseffekt (-e) ■ sich engagieren (für + *Akk.*) ■ kontinuierlich • problematisch • unzureichend • weltweit ■ etw. lässt zu wünschen übrig • jdn/etw. betrachten als • zu Recht

H10 Nachhaltigkeit – Interview

Ersetzen Sie die kursiv gedruckten Ausdrücke durch passende Ausdrücke aus dem Schüttelkasten. Achten Sie auf die richtige Form.

hinterfragen • zukünftige Generationen • handeln • erreichen • ~~Begriff, der~~ • respektvoll • grundsätzlich • gefragt sein • Umweltzerstörung • Meinung

- ● Ein *Wort, das* / (1) Begriff, der uns ständig im Alltag begegnet, ist „Nachhaltigkeit". Alles, was wir machen, soll nachhaltig sein. Wie geht ihr als Jugendliche damit um?
- □ Für mich ist Nachhaltigkeit das Gegenteil von *Vernichtung des Lebensraums* / (2) ______________. Und das geht nun mal gar nicht!
- ◇ Sarah hat recht! Wir müssen Verantwortung für uns, aber auch für *unsere Nachkommen* / (3) ______________ ______________ übernehmen, bevor es zu spät ist.
- ○ Unser hoher Lebensstandard ist zu *überdenken* / (4) ______________. Er geht auf Kosten ärmerer Länder.
- ● Was muss sich denn eurer *Ansicht* / (5) ______________ nach ändern?
- ○ Ganz einfach: Unsere Konsumgewohnheiten! Schon mit kleinen Verhaltensänderungen kann man viel *bewirken* / (6) ______________.
- □ Ja, jeder einzelne *kann seinen Beitrag leisten* / (7) ______ ______________!
  Das fängt schon beim Einkaufen oder bei der Freizeitgestaltung an.
- ◇ Wichtig ist in diesem Zusammenhang auch der *rücksichtsvolle* / (8) ______________ Umgang mit der Natur, ihren Pflanzen und Tieren.
- ● Ich sehe schon, dass ihr euch *im Wesentlichen* / (9) ______________ einig seid. Wir können nicht so weitermachen wie bisher. Wir müssen endlich *etwas tun* / (10) ______________.

Wichtige Wörter und Wendungen

der Begriff (-e) • der Lebensstandard • die Nachhaltigkeit • der Umgang (mit + *Dat.*) • die Umweltzerstörung ■ bewirken • sich einig sein • gefragt sein ■ grundsätzlich • nachhaltig • respektvoll • rücksichtsvoll ■ meiner Ansicht nach • seinen Beitrag leisten • Verantwortung übernehmen

I Behörden, Bankgeschäfte und andere Dienstleistungen

I1 Verbesserte Steuermoral: Was Staaten alles versuchen

Ergänzen Sie. Achten Sie auf die korrekte Form.

Steuerhinterziehung • Kassenzettel • Steuermoral • Bereitschaft • Mehreinnahmen • verzeichnen • ~~säumiger Steuerzahler~~ • Wirkung • benötigen • herkömmlich • Steuerschuld begleichen • effektiv • enorm • Steuereinnahmen entgehen • vorlegen

Wie man (1) *säumige Steuerzahler* zum zügigen Zahlen ihrer Steuerschulden bewegen kann, haben britische Steuerbehörden in einem Experiment gezeigt. Sie haben bei den Erinnerungsschreiben die (2) __________ unterschiedlicher Sätze untersucht. Eine Gruppe las, dass die Gesellschaft das Geld dringend (3) __________, um Straßen und Schulen zu bauen. Eine andere las, dass sie zu einer Minderheit gehöre, die ihre (4) __________ noch nicht __________ habe. Durch die zusätzlichen Sätze erhöhte sich, im Vergleich zu (5) __________ Anschreiben, die (6) __________, die Steuerschulden schnell zu begleichen (7) __________. Der Staat konnte in den Wochen nach Eingang der Briefe (8) __________ von mehreren Millionen Pfund __________. Am (9) __________ waren dabei Briefe mit dem Hinweis, dass die Nachbarn schon bezahlt hätten.

Doch wie kann der Staat die (10) __________ seiner Bürger generell erhöhen? Dem italienischen Staat (11) __________ früher enorme __________ durch alltägliche Steuerhinterziehung. Inzwischen muss jeder, auch wenn er nur einen Espresso an der Bar getrunken hat, einen (12) __________ bei sich tragen. Kann man beispielsweise nach einem Barbesuch bei einer Kontrolle keine Quittung (13) __________, müssen Gast und Barbesitzer hohe Strafen zahlen. Italien hat mit diesem Bestrafungssystem bei der Vermeidung von (14) __________ große Erfolge vorzuweisen.

Mehrwertsteuer • Anteil • zugutekommen • Steuerzahlung • Steuerbescheid • positiver Anreiz • Einkommenssteuer • Akzeptanz • beharren auf • für einen wohltätigen Zweck spenden • Ruhestand • Lotterielos

Andere Länder versuchen mit (15) _______________ _______________ ihre Bürger zu motivieren, Steuern zu bezahlen oder die (16) _______________ des Steuerzahlens zu erhöhen. In Österreich erhalten die Bürger mit ihrem (17) _______________ eine Auflistung, wie viel Steuergelder beispielsweise für Renten *(A: Pensionen)* oder die Landesverteidigung ausgegeben werden. In Spanien können die Bürger entscheiden, was mit einem bestimmten Prozentsatz ihrer (18) _______________ passiert. Sie können diesen (19) _____ _______ _______________ _______ oder der Kirche _______________.

Auch in Japan hat der Bürger die Möglichkeit mitzuentscheiden, was mit seinen (20) _______________ passiert. Da viele Kommunen nur noch mit älteren Bürgern im (21) _______________ bevölkert sind, die wenig Steuern bezahlen, können die jungen Großstädter bestimmen, dass ein (22) _______ ihrer Einkommenssteuer einem bestimmten Dorf, aus dem sie oder ihre Eltern ursprünglich stammen, (23) _______________.

In Brasilien gibt es, damit dem Staat weniger Einnahmen aus der (24) _______________ entgehen, Lotterienummern auf den Kassenzetteln. Da der Kassenzettel gleichzeitig (25) _______________ ist, (26) _______________ die Konsumenten _____ ihren Kassenbon.

Wichtige Wörter und Wendungen

die Akzeptanz • der Anreiz (-e) • der Anteil (-e) • die Bereitschaft • die Einkommenssteuer (-n) • der Kassenzettel (-) • die Mehrwertsteuer (-n) • die Moral • der Ruhestand • der (Steuer-)Bescheid (-e) • die Steuerhinterziehung ■ beharren auf *(+ Akk.)* • vorlegen • zugutekommen ■ effektiv • enorm • herkömmlich • zügig ■ eine (Steuer-)Schuld begleichen • für einen wohltätigen Zweck spenden • Mehreinnahmen verzeichnen

I2 Vorgänge auf Ämtern und Behörden

Was passt? Kreuzen Sie an. Es können mehrere Lösungen richtig sein.

1. Ich muss den Antrag noch
   ⊗ runterladen. ⊗ ausfüllen. ⊗ unterschreiben.
2. Der Antrag ist noch nicht
   ○ bewilligt. ○ genehmigt. ○ informiert.
3. Der Antrag wurde
   ○ eingereicht. ○ gestellt. ○ abgelehnt.
4. Die Abgabefrist wurde
   ○ eingehalten. ○ erhalten. ○ versäumt.
5. Die Frist wurde
   ○ gewährt. ○ verlängert. ○ angemeldet.
6. Ich habe eine Bestätigung
   ○ erhalten. ○ vorgelegt. ○ gewährt.
7. Der Nachweis wurde
   ○ erbracht. ○ vorgelegt. ○ eingehalten.
8. Es wurde eine beglaubigte Kopie
   ○ verlangt. ○ erhalten. ○ vorgezeigt.
9. Man muss eine Bearbeitungsgebühr
   ○ entrichten. ○ bezahlen. ○ bestrafen.
10. Er hat die Vorschriften
    ○ eingehalten. ○ bewältigt. ○ ignoriert.

Wichtige Wörter und Wendungen

beglaubigen • vorzeigen ■ einen Antrag bewilligen/einreichen/stellen • eine Bearbeitungsgebühr entrichten • eine Bestätigung vorlegen • eine Frist einhalten/gewähren/verlängern • einen Nachweis erbringen/vorlegen • eine Vorschrift einhalten/ignorieren

I3 Bankgeschäfte

Ergänzen Sie. Achten Sie auf die korrekte Form.

IBAN-Nummer • Banktresor • Rechnung anweisen • ~~Guthaben~~ • Einlage • Rate • abbezahlen • Kontoauszug • Kontoführungsgebühr • Nachzahlung • Dauerauftrag • abbuchen • im Minus sein • Konto überziehen • Kredit aufnehmen • eingehen

1. Für Guthaben gibt es aktuell so gut wie keine Zinsen. Einige Banken verlangen bei höheren E________ auf Giro- oder Tagesgeldkonten sogar Negativzinsen.
2. Wenn Sie mir bitte noch Ihre I________ und die BIC-Nummer nennen. Ich kümmere mich darum, dass die R________ noch heute an Sie a________ wird.
3. Ich habe auf meinem K________ gesehen, dass mein Konto i__ M________ i___.
4. Wegen der D________ möchte ich meine Bank nicht wechseln, obwohl mich die gestiegenen K________ ärgern.
5. Ich h________ mein K________ ganz schön ü________. Bei der Stromabrechnung war eine hohe N________ fällig und die Autoversicherung wurde auch a________.
6. Wir müssen einen K________ a________, um den Neuwagenkauf zu finanzieren.
7. Die monatliche R________ für den Kredit beträgt 200 Euro. In zwei Jahren ist er a________.
8. Wir deponieren unsere Wertpapiere im B________.
9. Wenn mein Gehalt e________ i___, ist mein Konto nicht mehr im Soll.

Wichtige Wörter und Wendungen

der Dauerauftrag (¨-e) • die Einlage (-n) • die IBAN-Nummer (-n) • das Guthaben (-) • der Kontoauszug (¨-e) • die Kontoführungsgebühr (-en) • die Nachzahlung (-en) • die Rate (-n) • der (Bank-)Tresor (-e) ■ abbuchen • eingehen ■ das Konto überziehen • einen Kredit aufnehmen/abbezahlen • eine Rechnung anweisen • im Minus/Soll sein

14 Börse und Finanzen

Ergänzen Sie. Achten Sie auf die korrekte Form.

Laufzeit betragen • ~~Finanzen~~ • in Konkurs gehen • Umsatz • Insolvenz anmelden • mit Aktien spekulieren • Geld anlegen • Börse • Verluste machen • Immobilienfond

1. Die *Finanzen* der Firma sind geordnet. Wir erteilen den Auftrag.
2. Die Finanzlage des Unternehmens ist schlecht. Es ist damit zu rechnen, dass es in Kürze *I*________ *a*________ wird.
3. Die Firma ist *i*__ *K*________ *g*________. Sie existiert nicht mehr.
4. Die *L*________ des Kredites *b*________ zehn Jahre.
5. Der *U*________ hat sich in diesem Geschäftsjahr positiv entwickelt.
6. Der Kundenberater der Bank hat ihm davon abgeraten, sein *G*______ in festverzinslichen Wertpapieren *a*________ und ihm einen *I*____________ empfohlen.
7. Sie hat an der *B*______ *m*___ *A*______ *s*________ und damit hohe *V*________ *gem*________.

15 Aktienkurse steigen und fallen

Ergänzen Sie das Gegenteil. Es gibt einen Lesetrick.

1. die Finanzen sind geordnet ⟷ die Finanzen sind (tettürrez) *zerrüttet*
2. eine positive Bilanz ⟷ eine (evitagen) __________ Bilanz
3. einen Kredit gewähren ⟷ einen Kredit (nenhelba) __________
4. die Aktienkurse steigen ⟷ die Aktienkurse (nellaf) ________
5. finanzschwach sein ⟷ (gitfärkznanif) ______________ sein

Wichtige Wörter und Wendungen

der Aktienkurs (-e) • die (positive/negative) Bilanz (-en) • die Börse (-n) • die (geordneten/zerrütteten) Finanzen *(Pl.)* • der Immobilienfond (-s) • der Umsatz (¨-e) ■ finanzkräftig • finanzschwach ■ die Aktienkurse steigen/fallen • einen Kredit gewähren/ablehnen • Geld anlegen • in Konkurs gehen • Insolvenz anmelden • mit Aktien spekulieren

I6 Redewendungen rund ums Geld

Ordnen Sie zu.

1. Immer die neuesten Markenklamotten und schon wieder ein neues Auto. Die müssen Geld wie Heu haben.
2. Diese völlig überteuerten Schuhe kaufe ich dir nicht. Ich werfe das Geld doch nicht zum Fenster raus!
3. Der Farbdrucker war billig. Man muss aber andauernd die Druckerpatronen erneuern und das geht ins Geld.
4. Ich möchte die Briefmarken-Sammlung meines Großvaters zu Geld machen.
5. Sie wird das Gemälde nicht hergeben. Nicht für Geld und gute Worte. Das ist ein Familienerbstück, an dem sie hängt.
6. Mit diesen YouTube-Filmen verdient er seinen Lebensunterhalt? Das Geld liegt auf der Straße!

a) Mama, ich möchte nur diese Sneakers für den Sommer. Ich zahle auch was dazu. Bitte.

b) Hast du die Sammlung schon mal schätzen lassen?

c) Schade. Ich hätte das Bild sehr gerne erworben und auch einen guten Preis dafür bezahlt.

d) Ja, die sind ziemlich reich. Er ist Investmentbanker und sie ist Immobilienmaklerin.

e) Das ist kein leicht verdientes Geld. Erfolgreiche YouTuber brauchen 100 000 Views am Tag. Das ist ein Full-Time-Job.

f) Die Markenpatronen kosten viel. Kauf doch No-Name-Produkte, die sind wesentlich günstiger.

1	2	3	4	5	6
d					

Wichtige Wörter und Wendungen

der (Investment-)Banker (-) • das (Familien-)Erbstück (-e) • der Full-Time-Job (-s) • die (Marken-)Klamotten *(Pl., ugs.)* • die (Immobilien-)Maklerin (-nen) • das No-Name-Produkt (-e) • der Sneaker (-s) ■ erneuern • erwerben • hängen an etw. ■ andauernd • überteuert • wesentlich ■ das Geld liegt auf der Straße • den Lebensunterhalt verdienen • etw. zu Geld machen • Geld wie Heu haben • Geld zum Fenster hinauswerfen *(ugs.)* • ins Geld gehen *(ugs.)* • nicht für Geld und gute Worte

17 Originelle Geschäftsideen

Ergänzen Sie. Achten Sie auf die korrekte Form.

Copyshop • Meerschweinchen • ~~Gesetz verabschieden~~ • Kette • zwangsläufig • endlos • halten • umgerechnet • logischerweise • Ableben • finanzieren • Geschäftsidee

Da in der Schweiz ein (1) *Gesetz verabschiedet* wurde, nach dem Meerschweinchen *(CH: Meersäuli)* nicht alleine gehalten werden dürfen, hatte Priska Küng die (2) ______________: (3) ______________ zum Mieten. Denn wenn man Meerschweinchen nur paarweise (4) ______ darf und diese (5) ______________ nicht gleichzeitig sterben, ist ein Tier (6) ______________ irgendwann allein. Dies erfordert dann die Anschaffung eines neuen Tieres und eine (7) ________ Haltungskette entsteht. Ab 50 Schweizer Franken gibt's nun den Partner auf Zeit, der nach dem (8) ________ des ehemaligen Single-Meerschweinchens zurückgegeben werden kann.

Aus Japan stammt die Geschäftsidee: Kostenlose Kopien für Studenten. Auf Wunsch sind in (9) ____________ einer bestimmten (10) Laden-________ Kopien kostenlos. Wie sich die Idee (11) ____________? Auf der Rückseite der Kopien befindet sich Werbung und Unternehmen bezahlen (12) ______________ 25 Cent pro Kopie für ihre Anzeigen.

Wichtige Wörter und Wendungen

das Ableben • der Copyshop (-s) • die Geschäftsidee (-n) • die (Laden-)Kette (-n) • das Meerschweinchen (-) ■ finanzieren • (ein Tier) halten ■ originell ■ endlos • logischerweise • umgerechnet • zwangsläufig ■ ein Gesetz verabschieden

J Politik und Gesellschaft

J1 Deutschlandkarte: Die Bundesländer

Wie heißen die Bundesländer? Ergänzen Sie die Zahlen.

1 Baden-Württemberg	2 Bayern	3 Berlin
4 Brandenburg	5 Bremen	6 Hamburg
7 Hessen	8 Mecklenburg-Vorpommern	9 Niedersachsen
10 Nordrhein-Westfalen	11 Rheinland-Pfalz	12 Saarland
13 Sachsen	14 Sachsen-Anhalt	15 Schleswig-Holstein
16 Thüringen		

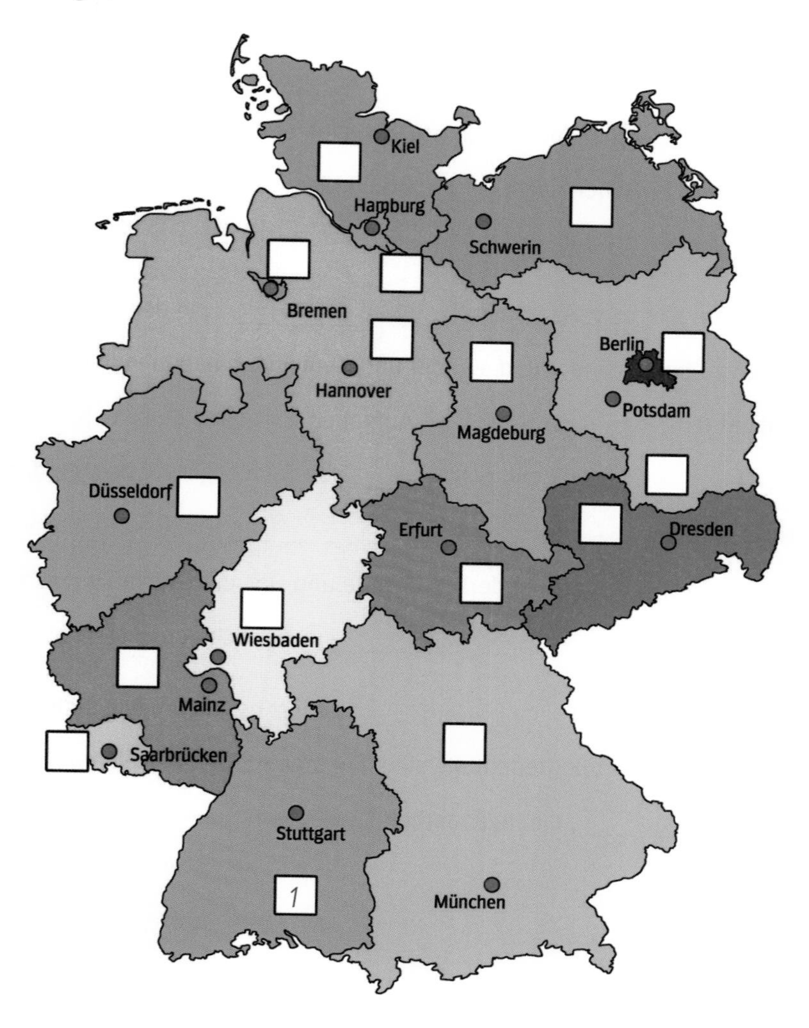

J2 Bund, Länder und Gemeinden

Ergänzen Sie. Achten Sie auf die korrekte Form.

Entscheidung treffen • Bund • Währungspolitik • ~~Regierungsmacht~~ • Müllabfuhr • darstellen • Instandhaltung • Föderalismus • Regierung • Landkreis • einheitlich • Bundesland • regeln • Gemeinde • spezifisch • bestimmen • Schulpflicht herrschen

In Deutschland ist die (1) _Regierungsmacht_ zwischen der Bundesregierung und den Regierungen der 16 (2) ________________ aufgeteilt. Was für die gesamte Republik von Bedeutung ist und (3) ________________ geordnet sein muss, (4) __________ der Bund. Dazu gehören die Außen- und Verteidigungspolitik, das Verkehrs- und Postwesen, die (5) ____________________, die Steuerpolitik usw.

Die Bundesländer haben ebenfalls (6) ________________. Diese können in bestimmten Bereichen eigene (7) ________________ __________: beispielsweise in der Schulpolitik, der Kulturpolitik und im Polizeiwesen. Diese Machtaufteilung zwischen (8) ________ und Ländern nennt man (9) ________________.

In den Ländern gibt es wiederum (10) ________________, in denen viele Städte und Gemeinden zu finden sind. Bund, Länder und Gemeinden haben in der Bundesrepublik Deutschland (11) ________________ Aufgaben. Ein gutes Beispiel für die Aufgabenteilung (12) __________ die Schulpolitik ______. Ein Bundesgesetz besagt, dass für alle Kinder (13) ________________ ______________. Die Unterrichtsinhalte (14) ________________ die Länder. Die Städte und Gemeinden sind wiederum für den Bau und die (15) ____________________ der Schulen zuständig.

Zu den Aufgaben der (16) ________________ gehört es, alle Angelegenheiten zu regeln, die für ihre Einwohner von Bedeutung sind: Sie organisieren beispielsweise die (17) ________________, die Jugendarbeit sowie die Strom- und Wasserversorgung.

J

J3 Soziale Marktwirtschaft

Ergänzen Sie. Achten Sie auf die korrekte Form.

Freiheit • ~~in den Mittelpunkt stellen~~ • Deutscher Bundestag • im Wesentlichen • beeinflussen • Sozialleistung • Arbeitnehmer • gefährden • lenken • willkürlich • menschenwürdig

„Die soziale Marktwirtschaft ist unser Kompass, weil sie wie keine zweite Wirtschafts- und Sozialordnung den Menschen (1) _in den Mittelpunkt stellt_“, sagte Angela Merkel in ihrer Regierungserklärung im (2) ______ ______ am 29. Januar 2014. Wie sieht diese Wirtschaftsordnung aus, die vom Wirtschaftsprofessor Alfred Müller-Armack und dem ersten Bundeswirtschaftsminister, Ludwig Erhard, nach dem Zweiten Weltkrieg entwickelt wurde und (3) ___ ______ bis heute gilt? Der Staat soll die Wirtschaft nicht (4) ______. Es gilt die Freiheit des Wettbewerbes. Preise werden durch Angebot und Nachfrage bestimmt und nicht vom Staat (5) ______.

Die (6) ______ sollen aber da enden, wo sie unsozial werden. Der Staat achtet beispielsweise auf die Rechte der (7) ______. Diese haben Kündigungsschutz und können nicht (8) ______ entlassen werden. Gesetze sorgen dafür, dass die Arbeitsbedingungen die Gesundheit nicht (9) ______. Sozialversicherungen helfen bei Arbeitslosigkeit, Krankheit, Pflegebedürftigkeit oder nach einem Unfall und (10) ______, wie zum Beispiel Sozialhilfe und Wohngeld, sollen dafür sorgen, dass auch sozial schwache Bürger ein (11) ______ Leben führen können.

Wichtige Wörter und Wendungen

der Arbeitnehmer (-) • der Bund • der Föderalismus • die Gesetzgebung (-en) • die Instandhaltung (-en) • der Landkreis (-e) • die (Regierungs-)Macht • die (Währungs-)Politik • die Sozialleistung (-en) ■ bestimmen • gefährden • lenken ■ menschenwürdig • spezifisch • willkürlich ■ im Wesentlichen • in den Mittelpunkt stellen

J4 Bedingungsloses Grundeinkommen

Ergänzen Sie. Achten Sie auf die korrekte Form.

Versuchszeitraum • Proband • Hoffnung hegen • Sozialleistungsempfänger • Bedingungen knüpfen • versteuern • ~~motivieren~~ • dazuverdienen • Job annehmen • zufällig • bedingungslos • attraktiv • Anreiz schaffen • steuerliche Abzüge

(1) _Motiviert_ ein bedingungsloses Grundeinkommen Arbeitslose, kleinere (2) ________ ________________ oder macht es die Menschen faul? Finnland startet 2017 einen zweijährigen Versuch mit 2000 (3) ______________.

Die (4) ___________ ausgewählten Arbeitslosen zwischen 25 und 58 Jahren erhalten monatlich 560 Euro, ohne dass daran (5) ________________ ____________ sind. Das (6) ____________________ Grundeinkommen muss nicht (7) ______________ werden und die Empfänger können bis zu 4000 Euro im Monat (8) ___________________. Es wird auch dann weiterbezahlt, wenn der Empfänger im (9) _______________________ Arbeit findet oder ein kleines Unternehmen gründet.

Die finnische Regierung (10) ________ die ____________, mit dem Experiment (11) __________________________________ zum Arbeiten zu motivieren und (12) ___________ zu ____________, dass diese auch Halbtagsstellen und kleine Jobs annehmen. Bisher war es für Arbeitslose nicht (13) ____________, etwas dazuzuverdienen, weil sie durch (14) ________________ _________ dann mitunter weniger Geld hatten als mit vollem Bezug der Sozialleistungen.

Wichtige Wörter und Wendungen

der Proband (-en) • der Sozialleistungsempfänger (-) • der (Versuchs-)Zeitraum (¨e) ■ dazuverdienen • motivieren • versteuern ■ attraktiv ■ Bedingungen knüpfen (an etw.) • den Anreiz schaffen • die Hoffnung hegen • steuerliche Abzüge *(Pl.)*

J5 Justiz und Rechtsprechung

Ergänzen Sie. Achten Sie auf die korrekte Form.

unter Ausschluss der Öffentlichkeit • zu Haft verurteilen • verhandeln • Angeklagter • Rechtsanwalt • Verteidigung • Urteil anfechten • ~~Justiz~~ • Prozesskosten tragen • Staatsanwältin • Strafverfahren • Indiz • Freispruch • Prozess machen • verhören

1. Den staatlichen Verwaltungsbereich, der geltende Gesetze anwendet und durchsetzt, nennt man Justiz.
2. Wenn es zum Prozess kommt, nimm dir einen guten R__________, der deine Sache gut vertritt.
3. Da er den Prozess vor Gericht verloren hatte, musste er sämtliche P__________ selbst t__________.
4. Wir sehen uns in nächster Instanz wieder, denn wir werden das U__________ a__________.
5. Da nach dem Jugendgerichtsgesetz v__________ wurde, fand der Prozess u__________ A__________ d__________ Ö__________ statt.
6. Die St__________ forderte in ihrem Plädoyer eine lebenslängliche Haftstrafe für den A__________.
7. Die Staatsanwaltschaft stellt den Antrag, die Zeugin noch einmal zu v__________.
8. Der Zeuge der V__________ wurde gebeten, seine Aussage zu wiederholen.
9. Dem Angeklagten wurde der P__________ aufgrund von I__________ gem__________ und er wurde schuldig gesprochen.
10. Der Angeklagte wurde z__________ drei Jahren H__________ v__________ und ist somit vorbestraft.
11. Für die Tat gab es keine Beweise, deshalb endete das St__________ mit einem F__________.

J6 Skurrile Verbote

Ergänzen Sie. Achten Sie auf die korrekte Form.

Verbot • Ausnahmen gelten • Verstoß ahnden • führen zu • graben • ein Auge zudrücken • ~~Ordnungswidrigkeit~~ • zuschütten • Bußgeld verhängen • Paragraph • ausgelegt sein für

Auf Sylt und an einigen anderen Orten und Gemeinden der Nord- und Ostseeküste ist der Bau von Sandburgen offiziell als (1) *Ordnungswidrigkeit* untersagt. Bei normalem Buddeln wird (2) ______ ________ ____________________, wenn aber Kinder und Schulklassen zu tiefe Löcher (3) ____________, werden sie gebeten, diese beim Verlassen des Strandes wieder (4) ________________________. Das Verbot gilt aus Küstenschutzgründen, denn aufgetürmter Sand bietet dem Wind eine größere Angriffsfläche und (5) ________ ____ vermehrter Abtragung des Sandes. (6) ________________ können mit einem Bußgeld bis zu 1 000 Euro ________________ werden. Dieses (7) ______________ wurde allerdings bisher noch nie ________________.

Laut (8) __________________ 50 der Straßenverkehrsordnung ist auf Helgoland nicht nur der Verkehr mit Kraftfahrzeugen, sondern auch das Radfahren verboten. Das (9) ____________ gilt, da Straßen und Wege nicht (10) _____ gleichzeitigen Fahrrad- und Fußgängerverkehr __________________ ________. Für die Polizei und den Insel-Arzt (11) ____________ ____________________.

Wichtige Wörter und Wendungen

der Angeklagte (-n) • der Freispruch (¨-e) • das Indiz (-ien) • die Justiz • die Ordnungswidrigkeit (-en) • der Paragraph (-en) • der Rechtsanwalt (¨-e) • die Staatsanwältin (-nen) • das Strafverfahren (-) • der Verstoß (¨-e) • die Verteidigung ■ graben • (zu-)schütten • verhandeln • verhören ■ skurril ■ Ausnahmen gelten • die Prozesskosten tragen • ein Auge zudrücken • ein Bußgeld verhängen • einen Verstoß ahnden • ein Urteil anfechten • jdm den Prozess machen • unter Ausschluss der Öffentlichkeit • zu Haft verurteilen

Teil 2 Grammatik

K Verben

K1 Wenn ich in meiner Heimat leben würde, ... – Konjunktiv II

Kombinieren Sie die Sätze, die zusammenpassen.

1. Ich lebe nicht mehr in meiner Heimatstadt, denn nur hier in Deutschland habe ich Arbeit.
2. In meiner Heimat gibt es Krieg. Meine Kinder sind dort nicht in Sicherheit. Deshalb muss ich in Deutschland leben.
3. Ich bin von zu Hause weggegangen, weil mein Leben dort langweilig war.
4. Weil ich für ein paar Jahre in Deutschland leben will, muss ich Deutsch lernen.
5. Ich wünsche mir sehr, dass ich eines Tages wieder in meinem Haus leben kann.
6. Leider darf ich nicht mehr in mein Land zurückkehren. Ich kann meine Familie nicht besuchen.
7. Das Leben in meiner Heimat ist sehr schwierig geworden. Deshalb bin ich ausgewandert.
8. Ich war als Au-pair in Deutschland. Damals hat es mir hier sehr gut gefallen und ich wollte unbedingt zurückkommen.

a) Wenn mein Leben zu Hause nicht so langweilig gewesen wäre, wäre ich nicht dort weggegangen.
b) Wenn ich in mein Land zurückkehren dürfte, könnte ich meine Familie besuchen.
c) Wenn es in meiner Heimat keinen Krieg geben würde, wären meine Kinder dort in Sicherheit. Dann müsste ich nicht in Deutschland leben.
d) Wenn das Leben in meiner Heimat nicht so schwierig geworden wäre, wäre ich nicht ausgewandert.
e) Wenn ich in meiner Heimatstadt leben würde, hätte ich keine Arbeit.

f) Wenn ich nicht als Au-pair in Deutschland gewesen wäre und es mir nicht so gut gefallen hätte, hätte ich nicht unbedingt zurückkommen wollen.
g) Könnte ich doch eines Tages wieder in meinem Haus leben!
h) Wenn ich nicht für ein paar Jahre in Deutschland leben wollte, müsste ich nicht Deutsch lernen.

1	2	3	4	5	6	7	8
e							

Tipp

Konjunktiv II von sein, haben, werden und den Modalverben:
Präteritum + Umlaut + Konjunktiv-Endung (-e, -(e)st, -e, -en, -(e)t, -en)
Konjunktiv II von allen anderen Verben:
würde- + Infinitiv
Ein paar unregelmäßige Verben werden manchmal auch in der **Konjunktiv-II-Form gebraucht:**
bleiben, brauchen, bringen, *gehen, kommen, lassen, tun, wissen*
ich bliebe, ich bräuchte, ich brächte, ich ginge, ich käme, ich ließe, ich täte, ich wüsste

K2 Was wäre mit meinem Leben, wenn ...? – Konjunktiv II

Ergänzen Sie die Lücken mit der richtigen Verbform.
Brauchen Sie den Indikativ oder den Konjunktiv?

Ein Mann und eine Frau unterhalten sich vor dem Schalter im Kreisverwaltungsreferat:

● Heute (1) *dauert* (dauern) es wieder so lange. Wenn ich nur nicht in einer Stunde in meiner Arbeit sein (2) *müsste* (müssen)!

■ Ja, so viel verlorene Zeit ... Ich (3) ________ gern schon gleich um 7 Uhr ________ (kommen), aber ich (4) ________ (müssen) erst meine Tochter in den Kindergarten bringen. Warum (5) ________ (leben) Sie denn hier in Deutschland?

● In meiner Heimat (6) ________ ich keine Arbeit ________ (finden). Ich (7) ________ (sein) lieber dort, das (8) ________ (können) Sie mir glauben, dann (9) ________ (haben) ich nicht das Problem mit der Sprache und (10) ________ (können) bei meiner Familie sein.

- ■ Das (11) ______________ (verstehen) ich gut. Wenn meine Familie und ich in meiner Stadt nicht so gefährliche Situationen (12) __________ __________ (erleben), (13) _________ wir auch nicht ______________ (fliehen). Man (14) _______ (wissen) nie, was einen (15) ______________ (erwarten) ...
- ● (16) _________ Sie denn Asyl in Deutschland _______________ (bekommen)?
- ■ Ja, zum Glück. Aber ich (17) _________ gern in meinem richtigen Beruf ____________ (arbeiten), doch dafür (18) ___________ (müssen) ich besser Deutsch sprechen.
- ● Ich (19) ________ auch einen Deutschkurs machen __________ (sollen), doch leider (20) ________ (haben) ich nicht genug Geld. Aber ich (21) _______ (haben) eine sehr geduldige deutsche Freundin, die mich immer (22) ________________ _____ (korrigieren). Wenn ich sie nicht (23) __________ ________ (haben), (24) _______ (sein) mein Deutsch jetzt noch schlechter ...
- ■ Aber Sie (25) ______________ (sprechen) doch sehr gut Deutsch! Ach, wenn ich nur (26) ___________ (wissen), wie lange es noch (27) ___________ (dauern), dann (28) _________ ich in der Zwischenzeit schnell _______________ (einkaufen)!
- ● (29) _________ (geben) Sie mir doch Ihre Handynummer! Dann (30) _______ ich Sie ___ (anrufen), wenn Ihre Nummer die nächste (31) _____ (sein).

K3 Du tust so, als ob! – Vergleichssätze im Konjunktiv

Ergänzen Sie die Vergleichssätze mit den Wörtern aus dem Schüttelkasten.

1. Hast du eigentlich Lust, ein paar Jahre im Ausland zu leben? Mir kommt es so vor, als ob du *keine Lust hättest*.
2. Du tust immer so, als ob du ____. Aber eigentlich hast du nicht so viel zu tun!
3. Es scheint so, als ob ich meine Visumsverlängerung ____________________. Ich verstehe das nicht, du hast sie doch auch bekommen!
4. Wie alt seid ihr eigentlich? Ihr benehmt euch, als ob ihr ________________________!
5. Ich habe so ein Gefühl, als ob es heute ______________________________. Es ist so schwül!

6. Ich fühle mich, als ______________________________ …
   So müde bin ich!
7. Es kommt mir so vor, als wenn wir uns ______________________________,
   obwohl wir uns erst vor einem Monat getroffen haben!
8. Es hört sich so an, als ______________________________.
   Ich habe dir aber die Wahrheit gesagt.
9. Er macht den Eindruck, als wenn ______________________________.
   Er sieht ganz blass aus.
10. Meine Kollegin tut so, als ob ______________________________.
    Aber eigentlich schafft sie am wenigsten von unserem Team!

nicht bekommen • ~~keine Lust haben~~ • eine Erkältung bekommen • noch ein Gewitter geben • mir nicht glauben • keine Zeit zum Lernen haben • alles alleine machen müssen • schon sehr lange kennen • Teenager sein • einen Marathon laufen

K4 Er habe nichts davon gewusst – Konjunktiv I

Vor Gericht wird ein Banküberfall verhandelt. Ergänzen Sie die Sätze, wie sie im Protokoll stehen. Geben Sie die Sätze in indirekter Rede wieder.

1. Bei der Gerichtsverhandlung meint der Staatsanwalt: „Ich gehe davon aus, dass an dem Überfall drei Personen beteiligt waren."

   Der Staatsanwalt meint, *er gehe davon aus, dass an dem Überfall drei Personen beteiligt waren*.

2. Der Angeklagte Oswald B. behauptet: „Vom 4. bis 6. November war ich gar nicht in der Stadt.“

   Der Angeklagte behauptet, ______________________________

   ______________________________.

3. Markus K. sagt aus: „Ich habe den Angeklagten am Morgen des 5. November im Café bedient.“

   Markus K. sagt aus, ______________________________

   ______________________________.

4. Dagegen steht die Aussage des Zeugen Mario A.: „Normalerweise kauft Herr B. jeden Morgen in meiner Bäckerei Brötchen. Das letzte Mal hat er am 2. November bei mir eingekauft.“

   Dagegen steht die Aussage des Zeugen Mario A., dass Herr B. ______________

   ______________________________ und

   das letzte Mal ______________________________.

5. Rosa M. bezeugt: „Bei dem Fluchtauto handelt es sich um meinen Wagen, der mir am Abend des 4. November gestohlen wurde.“

   Rosa M. bezeugt, dass es sich ______________________________

   ____

   ______________________________.

6. Der Anwalt des Angeklagten vermutet: „Herr K. muss eine andere Person mit dem Angeklagten verwechselt haben. Das ist sehr wahrscheinlich, da viele Personen dieses Café besuchen.“

   Der Anwalt des Angeklagten vermutet, Herr K. ______________________________

   ____

   __________. Das ______________________________

   ______________________________.

7. Die Bankangestellte Angelika W. erklärt: „Ich erkenne den Bankräuber eindeutig an seinen Haaren.“

   Die Bankangestellte Angelika W. erklärt, dass ______________________________

   ______________________________.

8. Sie fügt hinzu: „Er hatte auch eine Waffe, mit der er mich bedroht hat."

   Sie fügt hinzu, er ____

   ____.

9. Oswald B. verteidigt sich: „Ich besitze keine Waffe und habe auch noch nie eine besessen!"

   Oswald B. verteidigt sich, dass ______________________________________

   ____."

10. Nach zwei Stunden gibt der Richter bekannt: „Die weitere Verhandlung wird auf den folgenden Montag vertagt."

   Nach zwei Stunden gibt der Richter bekannt, dass ______________________

   ____.

Tipp

Der Konjunktiv I kommt fast nur in der 3. Person vor.
Wenn die Formen von Indikativ und Konjunktiv identisch sind, verwendet man statt des Konjunktiv I den Konjunktiv II, z. B.:
Die Passanten sagten aus, sie ~~haben~~ nichts gesehen.
*Die Passanten sagten aus, sie **hätten** nichts gesehen.*

Das sei sehr wahrscheinlich, da viele Leute das Café ~~besuchten~~.
*Das sei sehr wahrscheinlich, da viele Leute das Café **besuchen würden**.*

K5 Chirurgie wurde schon im Alten Ägypten praktiziert – Vorgangspassiv

Setzen Sie die Verben in Klammern in die richtige Passivform und Zeit.

Heute ist es selbstverständlich, dass gebrochene Arme oder Beine (1) *geheilt werden* (heilen), ein Tumor aus dem Körper (2) ______________ ________ (entfernen) oder neue Zähne (3) __________________ ____________ (implantieren). Dabei (4) ________ darauf ______________ (achten), dass der Patient so wenig Schmerzen wie möglich hat. Im Mittelalter jedoch waren die Methoden, wie Kranke (5) ______________ ____________ (behandeln), häufig recht brutal. Die Möglichkeit, einen Patienten in Narkose zu legen, (6) ______ noch nicht ______________ ____________ (entdecken) und es

(7) __________ bei vollem Bewusstsein Zähne ____________ (ziehen) oder sogar große Operationen (8) ____________________ (durchführen).

An ägyptischen Mumien sieht man, dass bereits über 2000 Jahre vor Christus Operationen sogar am Kopf (9) ________________ __________ (durchführen). In Gräbern (10) __________ feine Messer aus Kupfer _____________ (finden), mit denen bei Operationen (11) ______________ __________ _____ (schneiden), und auch dünne Nadeln, mit denen Verletzungen (12) __________ __________ __________ (nähen können).

Während heute als Medikamente hauptsächlich chemische Mittel(13) ______________ __________ (einsetzen), war sowohl im Altertum als auch im Mittelalter das Wissen über natürliche Heilmittel sehr groß. Die Heilerinnen und Heiler wussten, dass durch pflanzliche, tierische oder mineralische Stoffe der Körper (14) ____________ ______ (motivieren), sich selbst zu heilen, und das Immunsystem (15) ____________ ______ (stärken). Die Schriften von Hildegard von Bingen zum Beispiel, die im 12. Jahrhundert nach Christus lebte, (16) __________ noch heute von Heilpraktikern und ganzheitlich arbeitenden Ärzten ______________ (schätzen).

Tipp

Im Perfekt Passiv entspricht das Partizip nicht dem Perfekt des Vollverbs *werden*, z. B.:
Heute Morgen waren es –5 Grad, es ist wirklich kalt geworden!
Die Stadt ist im 12. Jahrhundert gebaut ~~ge~~worden.

K6 Unser Universum wurde durch den Urknall geschaffen – Vorgangspassiv mit *von/durch*

Ergänzen Sie *von* oder *durch*.

1. Vor ca. 13,7 Milliarden Jahren wurde durch den Urknall unser Universum geschaffen.
2. 365 n. Chr. wurde der östliche Mittelmeerraum _____ einem schweren Erdbeben verwüstet.
3. 1348/49 wurden ________ die Pest in Europa 15 Millionen Menschen getötet.
4. 1450 wurde _____ Johannes Gutenberg der Buchdruck erfunden.

5. 1492 wurde ______ Christoph Kolumbus Amerika entdeckt.
6. 1517 wurden ______ Martin Luther 95 Thesen geschrieben und damit die Reformation der christlichen Kirche begonnen.
7. 1683 wurde Wien ________ türkische Truppen belagert.
8. Im 16. und 17. Jahrhundert wurden ______ England, Frankreich und den Niederlanden weltweit Kolonien gegründet.
9. Am 14. Juli 1789 wurde ________ den Sturm auf die Bastille die Französische Revolution eingeleitet.
10. 1815 wurde ________ den Wiener Kongress Europa neu geordnet.
11. Die industrielle Revolution wurde unter anderem ________ die Erfindung der Glühlampe ermöglicht.
12. 1848 wurde ______ Karl Marx das Kommunistische Manifest verfasst.
13. Das erste Automobil wurde ______ Carl Friedrich Benz 1886 erfunden.
14. ________ die Weltwirtschaftskrise 1929 wurden viel soziales Elend und politische Krisen hervorgerufen.

Tipp

Personen, Institutionen und Naturkräfte:	*von*
Instrumente, Mittel, Abstrakta:	*durch*

K7 Ist alles gut vorbereitet? – Zustandspassiv

Die Mitarbeiter der Catering-Firma waren fleißig und haben das große Festessen gut vorbereitet. Dennoch ist der Gastgeber nervös und fragt nach. Schreiben Sie die Antworten im Präsens oder Präteritum des Zustandspassivs.

1. Die Gläser für den Aperitif müssen noch poliert werden!

   Nein, *die Gläser für den Aperitif sind schon poliert.*
2. Der Champagner muss kalt gestellt werden!

   ____.
3. Die Tische müssen dekoriert werden!

   ____.

4. Haben die Techniker denn die Beleuchtung schon installiert?

   Keine Sorge, ____,

   als wir heute Morgen kamen.

5. Haben Sie die Kellner schon angewiesen, wann Sie was servieren sollen?

   Natürlich, ____.

6. Wurde denn schon genügend Geschirr und Besteck vorbereitet?

   Selbstverständlich, ________________________________, bevor

   wir heute Morgen kamen.

7. Wurden denn die Tischkarten schon verteilt?

   Aber ja, ____.

8. Wurden die zusätzlichen Garderobenständer aufgestellt?

   ____

   ____.

9. Wurde der Rotwein schon geöffnet?

   ____.

10. Und, wurde das Menü rechtzeitig geliefert?

    Tja, hier haben wir leider ein kleines Problem – ________________ noch nicht

    ____________.

    Der Fahrer hat angerufen, dass er im Stau steht ...

K8 Das ist verständlich! – Passiv und Alternativen

Kreuzen Sie die Sätze an, die dasselbe aussagen!
Es kann mehrere Möglichkeiten geben.

1. Ihr Wunsch nach Ruhe ist verständlich.
   - ○ ... muss verstanden werden.
   - ⊗ ... kann verstanden werden.
   - ⊗ ... ist zu verstehen.
   - ⊗ ... lässt sich verstehen.

2. Jeder ist auf seinem Arbeitsplatz ersetzbar.
   - O ... lässt sich ersetzen.
   - O ... wird ersetzt.
   - O ... muss ersetzt werden.
   - O ... kann ersetzt werden.

3. Diese Aufgabe ist unlösbar.
   - O ... kann nicht gelöst werden.
   - O ... sollte schnell gelöst werden.
   - O ... lässt sich nicht lösen.
   - O ... ist schwer.

4. Ihre Seele ist sehr verletzlich.
   - O ... kann leicht verletzt werden.
   - O ... wird verletzt.
   - O ... darf nicht verletzt werden.
   - O ... muss verletzt werden.

5. Dieser Pilz ist nicht essbar.
   - O ... lässt sich nicht essen.
   - O ... wird nicht gegessen.
   - O ... kann nicht gegessen werden.
   - O ... darf nicht gegessen werden.

6. Die Küstenstraße ist bei Sturm nicht befahrbar.
   - O ... lässt sich nicht befahren.
   - O ... wird nicht befahren.
   - O ... sollte nicht befahren werden.
   - O ... kann nicht befahren werden.

Tipp

Man kann Passivsätze mit *müssen, sollen, können* oder *dürfen* ersetzen durch:

sich lassen + Infinitiv

sein + *zu* + Infinitiv

Man kann Passivsätze mit *können* ersetzen durch:

Adjektive auf *-bar* und *-lich*

K9 Hier geht es ums Arbeitsleben – Verben mit Präpositionen

Kombinieren Sie die richtigen Satzteile.

1. Er bewirbt sich
2. Die Vorkommnisse in der Firma sorgten
3. Die Kollegin Helmbrecht unterstützt Sie sicherlich
4. Die Abteilungsleiter informierten sich umgehend
5. Halten Sie sich bitte auch auf den Firmenparkplätzen
6. In seiner Rede verglich der neue Vorstand das Unternehmen
7. Die Probleme auf dem Börsenmarkt lenkten
8. Die Mitarbeiter sprechen voller Respekt
9. In dem Artikel geht es
10. Der neue Vorstand besteht zum einen
11. Trotz der Finanzkrise der Firma besteht der Chef
12. Der Finanzberater der Firma hält die geplante Fusion

a) beim Vorstand über die Hintergründe der neuen Kündigungswelle.

b) mit einer Rakete, die kurz vor dem Start steht.

c) von ihrem Seniorchef.

d) für Schlagzeilen in der Tagespresse.

e) auf die Stelle des Betriebsleiters.

f) auf der Anschaffung neuer Dienstwägen.

g) aus verdienten Mitarbeitern und zum anderen aus angesehenen Wissenschaftlern.

h) bei diesem Projekt.

i) von den innerbetrieblichen Schwierigkeiten ab.

j) für einen großen Fehler.

k) an die geltende Straßenverkehrsordnung!

l) um die Firmengeschichte seit ihrer Gründung Ende des 19. Jahrhunderts.

1	2	3	4	5	6	7	8	9	10	11	12
e											

K10 Er hat darauf bestanden – Verben mit Präpositionen, Präpositionaladverbien

Unterstreichen Sie die richtigen Lösungen.

1. ● Gerade habe ich mit meinem Professor über den/*von dem* Abgabetermin meiner Diplomarbeit gesprochen. Ich wollte ihn verschieben, aber er bestand *darauf/dabei*, dass ich mich *darum/daran* halten muss ...
   ■ Aber *daran/damit* musstest du doch rechnen! Du kannst dich nicht *dafür/darauf* verlassen, dass für dich immer eine Ausnahme gemacht wird. Das kommt *davon/davor*, wenn man *auf/über* keine Party und kein Konzert verzichten will!
   ● Weißt du, *worüber/worauf* ich jetzt gut verzichten kann? *An/Auf* eine Moralpredigt!
2. ● Meine Güte, bist du vielleicht zerstreut! Du solltest mal *an/mit* einem Achtsamkeitstraining teilnehmen.
   ■ Bitte was? *Worüber/Worauf* soll ich denn achten?
   ● *Darüber/Darauf, womit/wofür* du deine Zeit verbringst! Man übt sich *darin/daran*, im Hier und Jetzt zu leben und sich *darauf/dafür* zu konzentrieren, was man gerade tut.
   ■ Ach was! Ich trinke lieber *auf/für* die Zukunft! Prost!
3. ● Herr Wagner, könnten wir bitte kurz *von dem/über den* Verlauf Ihres aktuellen Seminars reden?
   ■ Gern, Frau Dr. Holberg. *Worum/Worüber* geht es denn?
   ● Tja, mehrere Teilnehmer haben sich *dafür/darüber* beklagt, dass Sie allzu ausführlich mit einem Thema begonnen haben, *wovon/woraus* bereits ein gesamter Nachmittag des letzten Seminars gehandelt hatte! Und sie drohten *damit/darüber*, sich *an/auf* das Management der Veranstaltungsreihe zu wenden, sollten Sie sich in den nächsten Tagen nicht *um/für* ein besser strukturiertes Programm kümmern.
   ■ Das kann ich *daran/damit* entschuldigen, dass ein Großteil der Teilnehmer nicht in meinem letzten Seminar war. Ich habe mich *dazu/darunter* entschieden, weil dieses Thema grundlegend für den Rest des Seminars ist. Ich stehe *dafür/dazu*, und wer von den Teilnehmern sich nicht *mit/bei* einigen Wiederholungen abfinden möchte, kann ja gehen – ich zwinge niemanden *dafür/dazu*, zu bleiben!

K11 Kommt es in Frage, eine Frage zu stellen? – Funktionsverbgefüge

Kreuzen Sie die richtige Nomen-Verb-Verbindung an.

1. Ein guter Arzt muss auch bei einem Notfall
   ⊗ Ruhe bewahren. ○ Ruhe halten.
2. Es ist zwar sehr schwer, aber mein Studium abzubrechen
   ○ kommt für mich nicht in Betracht. ○ geht für mich nicht in Betracht.
3. Durch den Abgabetermin für meine Diplomarbeit nächsten Montag
   ○ komme ich sehr unter Druck. ○ stehe ich sehr unter Druck.
4. Sprecht bitte nicht so laut, wenn ich telefoniere! Könnt ihr nicht ein bisschen
   ○ Rücksicht nehmen? ○ Rücksicht geben?
5. Der Direktor möchte heute mit allen Mitarbeitern ein ernstes
   ○ Gespräch halten. ○ Gespräch führen.
6. Was? Du schreibst morgen Prüfung und willst heute Abend in die Disco gehen?
   ○ Das kommt nicht in Frage! ○ Das geht nicht in Frage!
7. Warum glaubst du mir nie? Egal, was ich sage,
   ○ du stellst alles in Frage! ○ du setzt alles in Frage!
8. Hiermit komme ich zum Ende meines Vortrags. Möchte noch jemand
   ○ eine Frage bringen? ○ eine Frage stellen?
9. Das ist kein Team, wenn einer immer den anderen die Arbeit überlässt! Für so ein Verhalten kann ich
   ○ kein Verständnis aufbringen. ○ kein Verständnis geben.
10. Ich liebe mein Häuschen auf dem Land. Der Weg zur Arbeit ist zwar weit, aber
    ○ das nehme ich dafür gern in Kauf. ○ das halte ich dafür gern in Kauf.
11. Das Gespräch über meine Gehaltserhöhung ist gut gelaufen. Nur die Möglichkeit, einen Firmenwagen zu fahren, ist noch nicht
    ○ zur Sprache genommen. ○ zur Sprache gekommen.
12. Weißt du was? Den nächsten Urlaub organisierst du ganz alleine, dann musst du
    ○ nicht an allem Kritik geben! ○ nicht an allem Kritik üben!

K12 Bitte keinen Fehler begehen! – Funktionsverbgefüge

Welches Verb passt? Ergänzen Sie die Nomen-Verb-Verbindungen.

tragen • ergreifen • nehmen • führen • stehen • stellen • kommen • ~~machen~~ • spielen • leisten • gehen • bewahren • stellen • üben • stehen • kommen • nehmen • stehen • nehmen • aufbringen

1. sich Hoffnungen *machen*
2. in Betracht ______
3. in Frage ______
4. eine Rolle ______
5. Verantwortung ______
6. zur Sprache ______
7. Rücksicht ______
8. aus dem Weg ______
9. etwas in Kauf ______
10. unter Druck ______
11. zur Auswahl ______
12. die Flucht ______
13. eine Frage ______
14. einen Beitrag ______
15. Verständnis ______
16. Kritik ______
17. Ruhe ______
18. auf dem Standpunkt ______
19. sich vor etwas in Acht ______
20. ein Gespräch ______

K13 Rund um Konflikte – Funktionsverbgefüge

Durch welche Nomen-Verb-Verbindungen aus dem Schüttelkasten können Sie die unterstrichenen Wörter ersetzen?

Verständnis aufbringen • die Flucht ergreifen • den Anfang machen • sich Gedanken machen • ~~Ruhe bewahren~~ • aus dem Weg gehen • Kritik üben • zur Sprache kommen • in Kauf nehmen • in Frage stellen • unter Druck stehen • Rücksicht nehmen

1. Wirklich wichtig ist, dass alle beteiligten Personen ruhig bleiben und erst einmal tief durchatmen.

   ..., dass alle beteiligten Personen *Ruhe bewahren* und ...

2. Jeder sollte sich überlegen, worum es in dem Konflikt tatsächlich geht.

   Jeder sollte ______, ...

3. Geht es eigentlich um einen tieferen Konflikt, der gar nicht besprochen wird?

   ..., der gar nicht ______?

4. Der Konflikt eskaliert, wenn die Beteiligten jeweils bezweifeln, dass der andere die Wahrheit sagt.

   ..., wenn die Beteiligten jeweils ______________________________, ...

5. Um den anderen zu verstehen, kann jeder versuchen, aus seiner Perspektive den Konflikt aufzuzeichnen.

   Um für den anderen ____, ...

6. Manchmal ist die Unterstützung durch einen Mediator wichtig, damit die Beteiligten eine weitere Eskalation vermeiden.

   ..., damit die Beteiligten einer weiteren Eskalation ______________________________.

7. Viele möchten gern eine Auseinandersetzung vermeiden und fliehen, was natürlich keine Lösung ist.

   ..., und ____________________________________, was natürlich keine Lösung ist.

8. Einer muss damit anfangen, wieder auf den anderen zuzugehen.

   Einer muss ____________________________________ und wieder auf den anderen zugehen.

9. Wichtig ist es auch, nicht nur die anderen zu kritisieren, sondern auch sich selbst zu fragen, wie es zu dem Konflikt kommen konnte.

   ..., nicht nur an den anderen ____________________________, ...

10. Auch sollten sich die Beteiligten für die Konfliktlösung genügend Zeit nehmen, denn wer allzu gestresst ist, kommt zu keinem guten Ergebnis.

    ..., denn wer allzu sehr _________________________________, ...

11. Um zu einer Lösung zu kommen, die für alle passt, muss man manchmal etwas akzeptieren, was einem nicht ideal erscheint.

    ..., muss man manchmal etwas _____________________________, ...

12. Damit es möglichst zu gar keinem Konflikt kommt, sollte man immer so handeln, dass man auf die Bedürfnisse des anderen aufpasst.

    ... dass man auf die Bedürfnisse des anderen ______________________________.

K14 Was vermutest du? – Futur II

Ersetzen Sie den Satz mit Adverb durch einen Satz im Futur II.

1. ● Weißt du, warum Heike Willert nicht an dem Wettkampf teilgenommen hat?

   ■ Sie hat sich vermutlich beim letzten Training verletzt.

   Sie wird sich beim letzten Training verletzt haben.

2. ● Fandest du unseren letzten Deutschunterricht auch so schlecht?

   ■ Ja, ich war am Ende ganz verwirrt. Unsere Lehrerin hat sich wohl nicht vorbereitet.

   ____

   ____

3. ● Ich hätte gern zwei Karten für das Konzert am Samstag in der Philharmonie.

   ■ Tut mir leid, das ist ausverkauft.

   ● Das gibt's doch nicht! Meine Kollegin hat gerade vor 10 Minuten zwei Karten reservieren lassen!

   ■ Das waren dann vermutlich die letzten.

   ____

4. ● Stell dir vor, unsere Nachbarin lebt jetzt ganz alleine in dem großen Haus.

   ■ Vermutlich hat ihr Mann sie jetzt endgültig verlassen, denn die Ehe war schon lange nicht mehr gut.

   ____

   ____

5. ● Warum ist Ella heute Morgen nicht gekommen? Sie wollte doch so gern mit in die Berge fahren!

   ■ Wahrscheinlich hat sie verschlafen.

   ____

6. ● Hast du die Geschichte gelesen von dem jungen Inder aus einem Slum, der 7000 km mit dem Fahrrad nach Schweden gefahren ist, weil er sich in eine junge schwedische Adelige verliebt hatte?

■ Nein – aber vermutlich ist das nicht gut gegangen, oder?

● Doch! Sie haben geheiratet und leben seit 30 Jahren glücklich zusammen.

■ Tatsächlich? Das war vermutlich anfangs ein großer Skandal in der Adelsfamilie!

Tipp

Um den Charakter der Vermutung noch zu verstärken, kann zusätzlich zum Futur II das Adverb *wohl* oder *vermutlich* benutzt werden:
Das wird wohl ein großer Skandal gewesen sein.
Sie wird vermutlich verschlafen haben.

K15 Nur ein Gerücht? – subjektive Bedeutung des Modalverbs *sollen*

Ändern Sie die folgenden Sätze in Sätze mit *sollen*.

1. Im Internet habe ich gelesen, dass sich in den letzten zehn Jahren die Preise für Eigentumswohnungen in Manhattan verdoppelt haben.

   In den letzten zehn Jahren sollen sich die Preise für Eigentumswohnungen in Manhattan verdoppelt haben.

2. Kanadischen Forschern zufolge bevorzugen Wölfe Fisch als Nahrung, wenn sie die Wahl zwischen Fisch und Fleisch haben.

3. Laut einer Studie hat eine Mücke, die einen Betrunkenen sticht, danach halb so viel Alkohol im Blut wie ihr Opfer.

4. Nach norwegischem Gesetz ist an Wahltagen in Norwegen der Verkauf von Alkohol verboten.

____

____

5. Historikern zufolge hat Christopher Kolumbus Meerjungfrauen als hässlich und fett beschrieben, womit er vermutlich Seekühe meinte.

____

____

____

6. Wissenschaftler behaupten, dass die Milch von Delfinen einen Fettgehalt von 46 % hat.

____

____

K16 So soll es sein – objektive und subjektive Bedeutung von *sollen*

Handelt es sich bei dem Satz um eine Vorschrift, einen Ratschlag oder eine Vermutung bzw. Behauptung? Kreuzen Sie an.

1. Er soll sein ganzes Geld auf ein Konto in der Schweiz gebracht haben.
   O Vorschrift   O Ratschlag   ⊗ Vermutung/Behauptung
2. Bevor eine neue Batterie eingesetzt wird, soll das Gerät ausgeschaltet werden.
   O Vorschrift   O Ratschlag   O Vermutung/Behauptung
3. Benzin soll freitags am teuersten und sonntags am billigsten sein.
   O Vorschrift   O Ratschlag   O Vermutung/Behauptung
4. Deine Tochter sollte auf jeden Fall das Abitur machen, dann stehen ihr alle Wege zu einem interessanten Beruf offen.
   O Vorschrift   O Ratschlag   O Vermutung/Behauptung
5. Eine der heutigen großen Handy-Firmen soll im 19. Jahrhundert Papier und Gummistiefel produziert haben.
   O Vorschrift   O Ratschlag   O Vermutung/Behauptung
6. In Zeiten der Grippewelle sollte man häufig seine Hände waschen
   O Vorschrift   O Ratschlag   O Vermutung/Behauptung
7. Ab 18 Uhr soll sich niemand mehr in den Lagerräumen aufhalten.
   O Vorschrift   O Ratschlag   O Vermutung/Behauptung

8. Im Hinblick darauf, dass viele Kinder immer dicker werden, sollte in der Erziehung völlig auf zuckerhaltige Getränke verzichtet werden.
   ○ Vorschrift ○ Ratschlag ○ Vermutung/Behauptung

9. Die Konzerttermine der Band im nächsten Jahr sollen jetzt bereits ausverkauft sein!
   ○ Vorschrift ○ Ratschlag ○ Vermutung/Behauptung

10. In der Münchner Innenstadt sollen nur Fahrzeuge mit grüner Umweltplakette fahren.
    ○ Vorschrift ○ Ratschlag ○ Vermutung/Behauptung

11. Die Kollegin sollte dringend nach Hause gehen, sie sieht wirklich krank aus!
    ○ Vorschrift ○ Ratschlag ○ Vermutung/Behauptung

K17 Vorschriften und Regeln für Autofahrer in Deutschland, Österreich und der Schweiz – *sein/haben ... zu* in modaler Bedeutung

Schreiben Sie die Sätze mit Modalverben um in Sätze mit *sein/haben ... zu*.

1. Autofahrer müssen bei schlechter Sicht tagsüber das Licht einschalten.

   Autofahrer haben bei schlechter Sicht tagsüber das Licht einzuschalten.

2. Ein Verbandskasten und ein Warndreieck müssen in Deutschland und Österreich in jedem Auto mitgenommen werden.

   ____

   ____

   ____

3. In der Schweiz muss das Warndreieck immer griffbereit sein, es darf also nicht im Kofferraum verstaut werden.

4. Verbandskasten und Feuerlöscher müssen in der Schweiz nicht unbedingt mitgeführt werden.

5. Für Telefonieren am Steuer muss in Deutschland eine Strafe von 60 Euro bezahlt werden.

6. Bei Pannen oder Unfällen müssen die Autofahrer und die Mitfahrenden Warnwesten tragen, wenn sie das Auto verlassen.

7. Auf Autobahnen darf in der Schweiz nicht schneller als 120 km/h gefahren werden, während in Deutschland kein Tempolimit eingehalten werden muss.

L Nomen

L1 Wie kann ich aus dem Verb ein Nomen machen? – Nominalisierung von Verben

Wie machen Sie aus dem Verb ein Nomen? Ergänzen Sie die korrekte Endung oder verändern Sie das gesamte Wort. Manchmal gibt es zwei Möglichkeiten, die Sache an sich und die Person.

1. herstellen - die Herstell*ung*/ der Herstell*er*
2. ergänzen - die Ergänz_____
3. helfen - die H______
4. fragen - die Frag__
5. sehen - die S______
6. anbieten - das An__________/ der Anbiet___
7. wünschen - der W_________
8. sich interessieren - das Interess__/ der Interess_____
9. beschließen - der B______________
10. glauben - der Glaub_
11. fordern - die Forder_____
12. erwarten - die Erwart_____
13. hoffen - die Hoff_______
14. beginnen - der B________
15. bitten - die Bitt_
16. schmecken - der G_______________
17. verlieren - der V___________/ der Verlier___
18. streiten - der St______
19. träumen - der T_______
20. wissen - das W________
21. reagieren - die R____________
22. produzieren - die P_______________/ der Produz_____

Tipp

Wie kann ich aus einem Verb ein Nomen machen?

-ung (f)	z. B. ergänzen → die Ergänzung
-e (m/f)	z. B. bitten → die Bitte
-(t)nis (f/n)	z. B. erkennen → die Erkenntnis
-(t)ion	z. B. reagieren → die Reaktion
-er (m)	z. B. verlieren → der Verlierer
Infinitiv (n)	z. B. wissen → das Wissen

ohne Endung/mit oder ohne Vokaländerung z. B. wünschen → der Wunsch

L2 Alles Politik – Nominalisierung von Verben

Ändern Sie wie im Beispiel den Satz in eine kurze Wendung um.

1. Die Wähler hoffen auf Veränderung.

   die Hoffnung der Wähler auf Veränderung

2. Die Partei beschließt, den Termin zu verschieben.

3. Er hat an Glaubwürdigkeit verloren.

4. Die Wähler reagieren auf die Gesetzesänderung.

5. Der Kandidat glaubt an die Ideale des Sozialismus.

6. Der Journalist bittet um einen Interviewtermin.

7. Der Bericht darüber, wie die Gewerkschaft das Problem sieht

8. Die Opposition bietet der Regierung Unterstützung an.

9. Die Partei fordert eine schnellere Bearbeitung der Asylanträge.

L3 Stichpunkte fürs Protokoll – Nominalisierung von Verben

Bilden Sie aus den Sätzen Stichpunkte wie im Beispiel.

(1) Auf der Mitgliederversammlung des Vereins der Hauseigentümer wurde versucht, zehn Tagesordnungspunkte eingehend zu bearbeiten. (2) Zuerst baten die Besitzer der Erdgeschoss-Wohnungen darum, dass die Terrasse zur Westseite erneuert werden solle. (3) Die Bitte wurde zurückgewiesen, da diese Terrasse erst vor zwei Jahren renoviert wurde. (4) Daraufhin beschwerten sich die Eigentümer zur Ostseite über zunehmenden Lärm durch eine Kneipe, die dort vor einem Jahr neu eröffnet worden war. (5) Sie wünschten sich, dass die Eigentümergemeinschaft frühere Schließungszeiten für die Kneipe beantrage. (6) Es wurde beschlossen, dass die betroffenen Eigentümer einen Brief entwerfen sollten, der dann von allen unterschrieben wird. (7) Eine Eigentümerin fragte, ob die hinteren Kellerabteile bald repariert würden. (8) Diese Reparatur wird für den nächsten Monat geplant. (9) Es wurde diskutiert, ob die Wasserleitungen in den ersten Stock in diesem oder im nächsten Jahr erneuert werden sollten. (10) Da diese Frage nicht endgültig beantwortet werden konnte, wurden die restlichen TOPs auf die nächste Versammlung vertagt.

L

1. *Versuch der Bearbeitung von zehn Tagesordnungspunkten*
2.
3.
4.
5.
6.
7.
8.
9.
10.

L4 Die Suche nach dem passenden Satzteil – Nomen mit Präpositionen

Verbinden Sie die passenden Satzteile.

1. die Neugier der Nachbarschaft
2. die Verwandtschaft des Menschen
3. die schönen Erinnerungen
4. die Abhängigkeit der Kinder
5. die Freude der Kinder
6. das Interesse der Studenten
7. die Suche
8. die Eifersucht
9. die Liebe
10. die Teilnahme
11. der Traum
12. das Bedürfnis
13. die Spezialisierung
14. die Abstimmung
15. die Angst
16. der Ärger

a) an die gemeinsam verbrachte Zeit
b) auf Weihnachten
c) nach dem Glück
d) auf das Privatleben der jungen Frau
e) vom großen Geld
f) über das Rauchverbot in Kneipen
g) zu seinen Kindern
h) an der Fortbildung
i) mit dem Affen
j) von ihren Eltern
k) nach Wärme und Geborgenheit
l) auf die Kollegin ihres Mannes
m) auf Malerei aus dem 18. Jahrhundert
n) am Vortrag des berühmten Professors
o) über die verlorene Zeit
p) vor der Armut

1	2	3	4	5	6	7	8	9	10	11	12	13	14	15	16
d															

Schule fertig – was nun? – Nomen mit Präpositionen

Ergänzen Sie die Sätze mit den Präpositionen aus dem Schüttelkasten.

um • an • für • nach • danach • dabei • von • auf • an • an • in • zu • mit • nach • ~~nach~~ • für • davor • davor • über • darauf

Die Phase nach dem Abitur ist sowohl für die Jugendlichen als auch deren Eltern oft nicht leicht. Da besteht zum einen der Wunsch (1) nach Unabhängigkeit bei gleichzeitiger finanzieller Abhängigkeit (2) ______ den Eltern, und zum anderen ergeben sich viele Fragen (3) ____________, wie es weitergehen soll.

Die Suche (4) ________ dem richtigen Studienfach oder der passenden Ausbildungsrichtung ist schwierig, und auch Studienberatung oder Arbeitsamt sind oft keine große Hilfe (5) __________.

Vorherrschend sind erst einmal der Stolz (6) ______ den bestandenen Abschluss und die Freude (7) ________ die lang ersehnte Freiheit. Die Eltern, die Sorge (8) ____ die Zukunft der Kinder empfinden, haben ein Bedürfnis (9) ________ klaren Entscheidungen, während viele junge Erwachsene erst einmal Interesse (10) ____ Partys, Reisen und Chill-out haben, bevor das Lernen weitergeht. Sehr schnell entwickelt sich bei ihnen allerdings auch eine Unzufriedenheit (11) ______ dieser Situation, keine Aufgabe oder feste Struktur im Leben zu haben, gleichzeitig mit der Angst (12) __________, falsche Entscheidungen zu treffen.

Die Teilnahme (13) ____ Sprachkursen ist in dieser Phase hilfreich, wenn Interesse (14) ____ Berufen besteht, (15) ______ die die Voraussetzung die Kenntnis mehrerer Sprachen ist. Auch Praktika sind sinnvoll, um einen Einblick (16) ____ einen Beruf zu bekommen, (17) ______ den man seine Entscheidung treffen möchte, sich aber noch nicht sicher ist.

Auf jeden Fall sollten die Eltern den jungen Erwachsenen die Furcht (18) ________ nehmen, dass es auf einem einmal gewählten Weg kein Zurück mehr gibt.

Es besteht immer die Hoffnung (19) ____________, dass sich eines Tages ein klarer Weg abzeichnet und man seine Liebe (20) ____ einem bestimmten Berufsbild entdeckt.

Und wer seinen Beruf liebt, ist auch gut darin!

L6 Verbindungsregeln – Komposita

Bei welchen der folgenden Komposita steht ein Fugen-‚s'? Ergänzen Sie.

der Zeitung_s_artikel
der Foto__wettbewerb
die Arbeit__suche
der Presse__bericht
die Frühling__blume
die Altertum__forschung
die Produktion__kette
das Freundschaft__armband
der Veranstaltung__kalender
die Mutter__sprache
der Diskussion__partner
der Leben__raum
die Gesicht__creme
die Freiheit__statue
die Grammatik__regel
der Schwangerschaft__monat
der Tätigkeit__bericht
die Zeit__reise
der Universität__eingang
das Gesellschaft__spiel

Tipp

Ein **Fugen-‚s'** steht
- nach den Endungen **–ung, -heit, -keit, -schaft, -ling, -ion, -ität, -tum**
- nach vielen Nomen, die mit **Ge-** beginnen
- nach vielen Nomen, die **im Genitiv** auch ein ‚s' haben.

Leider gibt es nicht für alle Komposita mit Fugen-‚s' eine Regel: z. B. die Arbeit**s**suche

L7 Warum so kompliziert? – Komposita

Wie können Sie die Sätze kürzer machen? Bilden Sie Komposita, wo es möglich ist.

1. Der Eingang zur Universität wurde zur Feier des Examens mit Blumen, die im Frühling blühen, geschmückt.

   Der Universitätseingang wurde zur Examensfeier mit Frühlingsblumen geschmückt.

2. Die Anweisung für den Gebrauch der Maschine, mit der man Kaffee kochen kann, befindet sich im oberen Fach des Regals vom Schrank, der in der Küche steht.

3. Die Fahrzeuge, die auf der Baustelle arbeiten, blockieren den Verkehr am Feierabend, sodass sich lange Schlangen von Autos bilden.

4. Der Student der Tiermedizin arbeitet in einer Station zur Versorgung von verletzten Tieren, die im Wald leben.

5. Für die Vorstellung am Abend im Theater der Stadt findet der Verkauf der Karten an der Kasse des Theaters oder über die Stellen für den Vorverkauf statt.

6. Über die Verhandlung vor Gericht gibt es einen ausführlichen Bericht in der Presse, der genau die Aussagen der Zeugen und die Verkündung des Urteils wiedergibt.

7. Die Beschränkung der Geschwindigkeit bei der Durchfahrt von dem Ort ist so unübersichtlich, dass sie zu häufigen Übertretungen des Gesetzes führt.

8. Im Unterricht für Biologie kann der Prozess zur Herstellung von Kakao im Informationszentrum des Museums für Naturkunde in der Mitte der Stadt gezeigt werden.

M Adjektive

M1 Womit ist heute die Wissenschaft beschäftigt? – Adjektive mit Präpositionen

Welche Präposition ist korrekt? Markieren Sie.

1. Große Aufregung unter den Wissenschaftlern: Sieben Planeten wurden in einem Sternsystem entdeckt, die geeignet erscheinen (1) *von/für* ein Leben, das ähnlich ist wie das auf der Erde. Allerdings ist das Sternsystem 39 Lichtjahre (2) *von/ab* der Erde entfernt – auch wenn Astronauten bereit (3) *auf/zu* so einem Abenteuer wären, würde es Millionen Jahre dauern, das neue Sternsystem zu erreichen.
   Seit die Menschheit die Welt der Sterne entdeckt hat, ist sie neugierig (4) *darauf/darüber*, ob es weiteres Leben im Universum geben kann. Einige Menschen sind überzeugt (5) *daran/davon* und beschäftigen sich (6) *mit/für* zum Teil absurden Methoden, um Kontakt mit Lebewesen im Weltall aufzunehmen. Andere sind beunruhigt (7) *von/mit* dem Gedanken. Schuld (8) *bei/an* ihren Ängsten sind meist Science-Fiction-Filme, die den Schrecken einer Invasion aus dem Weltall in grellen Farben malen.
   Jetzt sind die Astronomen erst einmal glücklich (9) *über/für* ihre Entdeckung und gespannt (10) *auf/an* die Ergebnisse, die sie bei genaueren Untersuchungen erwarten.

2. Teppiche von Plastikmüll in den Meeren, so groß wie Fußballfelder: Wenn die Menschen diese Bilder sehen, sind sie entsetzt (1) *über/auf* die Folgen, die unsere Lebensweise für unsere Umwelt hat. Nicht nur Umweltschutzorganisationen sind beunruhigt (2) *für/über* diese Entwicklung, auch (3) *gegen/für* den Tourismus ist sie schädlich. (4) *In/Für* viele Länder, die am Meer liegen, sind Fischfang und Tourismus wichtig, ihre gesamte Ökonomie ist (5) *damit/davon* abhängig.
Wer ist (6) *für/auf* die 46 000 Teilchen Plastikmüll, die auf jedem Quadratkilometer Meer treiben, verantwortlich? Hauptsächlich die Industrie, die Plastikprodukte herstellt und in Plastik verpackt, doch auch jeder einzelne Konsument ist nicht unschuldig (7) *an/zu* dieser Entwicklung. Viele Menschen sind zwar offen (8) *auf/für* bewussten Umgang mit und Verzicht auf Plastik, aber (9) *an/für* die meisten Verbraucher ist es doch angenehmer, in gewohnter Weise weiterzumachen. Die Gesellschaft ist erst fähig (10) *zu/bei* einer Veränderung, wenn es klare Gesetze von der Politik gibt.

M2 Wovon bist du denn so müde? – Adjektive mit Präpositionen

Ergänzen Sie das Fragewort und die Präposition in der Antwort.

1. ■ _Auf wen_ bist du böse?
   ● _Auf_ meinen Kollegen. Er telefoniert jeden Tag stundenlang mit seiner Freundin!
2. ■ ____________ ist dieser Autotyp besonders beliebt?
   ● _____ Familien, die gern mit dem Auto in Urlaub fahren.
3. ■ _________ bist du gerade beschäftigt?
   ● _____ meiner Steuererklärung.
   ■ Ach so, deshalb hast du so schlechte Laune ...
4. ■ _________ ist dieser Arzt bekannt?
   ● ______ seine Knieoperationen. Er hatte schon in den kompliziertesten Fällen Erfolg.

5. ■ Sind das die Kinder von Herrn Peters? Und __________ aus der Familie bist du befreundet?
   ● _____ der jüngsten Tochter, mit Anna.
6. ■ Ich danke dir so sehr!
   ● Ach was – ________ denn?
   ■ _____ deine große Unterstützung in dieser schwierigen Zeit ...
7. ■ Du strahlst ja übers ganze Gesicht! __________ bist du denn so froh?
   ● ______ meine Beförderung! Du sprichst gerade mit der neuen Projektleiterin!
8. ■ Stell dir vor, meine Tochter ist zum ersten Mal verliebt!
   ● Wie schön! _________ hat sie sich denn verliebt?
   ■ ___ den Nachbarssohn.
9. ■ Der neue Mitarbeiter ist völlig unerfahren ___ Projektmanagement.
   ● Das ist ärgerlich. ________ ist er denn erfahrener?
10. ■ Du lehnst jede Verbesserung in unserem Arbeitsbereich erst einmal ab. _________ bist du denn eigentlich mal offen?
    ● ______ eine solide, ruhige und gute Arbeit, wie ich sie seit zehn Jahren mache!
11. ■ Du gähnst ja herzzerreißend! ________ bist du denn so müde?
    ● Ehrlich gesagt, glaube ich, _____ Nichtstun ...

M3 Veganismus: Moral oder Mode? – Adjektive mit Präpositionen

Ergänzen Sie die fehlenden Präpositionen, Fragewörter und Präpositionaladverbien.

1. Immer mehr Menschen sind heutzutage beunruhigt *über* die Folgen für Gesundheit und Umwelt, die die Methoden der Ernährungsindustrie mit sich bringen.
2. Wer ________ interessiert ist, sich und seine Kinder gesund zu ernähren, lässt sich das etwas kosten.
3. Ist man __________ angewiesen, mit einem kleinen Budget hauszuhalten, tut man sich schwer ________, gänzlich unbelastete und nachhaltig produzierte Lebensmittel zu finden.

4. _________ es auch kein Konsument leicht hat, ist eine transparente Informationspolitik über Herkunft und Zusammensetzung der Lebensmittel, obwohl inzwischen wenigstens die Stoffe, die schädlich _____ Allergiker sind, zuverlässig gekennzeichnet werden müssen.
5. Eine Folge dieses Gefühls, dass der Mensch auch bei seiner täglichen Ernährung verantwortlich ist _____ die Ausbeutung der Umwelt, ist die Bewegung des Veganismus.
6. Neben der wissenschaftlichen Erkenntnis, dass ein direkter Zusammenhang besteht zwischen vielen Zivilisationskrankheiten und der Ernährung von Produkten, die reich sind ____ tierischen Eiweißen, sind viele Menschen auch schlicht unglücklich ____________, dass ihretwegen Tiere leiden sollen.
7. Besonders die Menschen in den Großstädten, weit entfernt _____ der Herkunft der meisten Nahrungsmittel, sind offen _____ diese Neuerungen.
8. Unter ihnen sind viele junge Menschen, die sich bewusst _________ abwenden, _________ ihre Eltern noch gewöhnt waren – Sonntagsbraten und Cremetorte, die lange Zeit auch als Zeichen des Wohllebens galten.
9. Man darf gespannt __________ sein, wie sich diese Bewegung in den nächsten Jahren entwickeln wird.

M4 Die korrekt angekreuzte Lösung – Partizipien als Adjektive

Kreuzen Sie an: Welche Umschreibung ist richtig?

1. das weinende Kind
   ⊗ das Kind, das gerade weint
   ○ das Kind, das geweint hat

2. der schmerzende Rücken
   ○ der Rücken, der geschmerzt hat
   ○ der Rücken, der schmerzt

3. das geschnittene Obst
   ○ das Obst, das geschnitten wurde
   ○ das Obst, das gerade geschnitten wird

4. der gestresste Chef
   ○ der Chef, der viel Stress verursacht
   ○ der Chef, der viel Stress hat
5. der beißende Hund
   ○ der Hund, der gebissen wurde
   ○ der Hund, der beißt
6. die ermüdende Diskussion
   ○ die Diskussion, die ermüdet
   ○ die Diskussion, die ermüdet hat
7. der jugendgefährdende Film
   ○ der Film, der durch die Jugend gefährdet wurde
   ○ der Film, der die Jugend gefährdet
8. der untergehende Mond
   ○ der Mond, der gerade untergeht
   ○ der Mond, der untergegangen ist
9. das hartgekochte Ei
   ○ das Ei, das hartgekocht wurde
   ○ das Ei, das gerade hartgekocht wird
10. das abschreckende Beispiel
   ○ das Beispiel, das abschreckt
   ○ das Beispiel, das abgeschreckt wurde
11. das abgewaschene Glas
   ○ das Glas, das gerade abgewaschen wird
   ○ das Glas, das abgewaschen wurde
12. der selbst gestrickte Pullover
   ○ der Pullover, der selbst gestrickt wurde
   ○ der Pullover, der selbst strickt
13. das duftende Parfüm
   ○ das Parfüm, das duftet
   ○ das Parfüm, das geduftet hat

M5 Wie macht man Kässpatzn? – Partizipien als Adjektive

Ergänzen Sie das Verb in Klammern als Partizip in der richtigen Form.

1. Zuerst setzen Sie einen großen Topf mit Wasser und einem Teelöffel Salz auf den *eingeschalteten* (einschalten) Herd.
2. Dann mischen Sie in einer Schüssel vier ____________ (aufschlagen) Eier mit einem Pfund ____________ (sieben) Mehl und einem Teelöffel Salz.
3. Dazu gießen Sie zwei bis drei Achtel kaltes Wasser, rühren kurz mit einem Kochlöffel um und geben zwei Esslöffel von dem ____________ (vermischen) Teig in die Kässpatzn-Reibe.
4. Sie legen die Reibe auf den Topf mit dem ____________ (kochen) Wasser und reiben den Teig hinein.
5. Wenn die Spatzn fertig ____________ (kochen) sind, schwimmen sie an der Oberfläche und Sie können sie herausnehmen.
6. Legen Sie die Spatzn in eine flache Schüssel, streuen Sie ____________ (reiben) Käse darüber und schieben Sie die Schüssel in den ____________ (vorheizen) Backofen.
7. So machen Sie eine Portion nach der anderen und schichten immer die ____________ (kochen) Spatzn und den ____________ (reiben) Käse aufeinander.

8. Dann braten Sie in Ringe ______________________ (schneiden) Zwiebeln in Öl in einer Pfanne, bis sie braun sind.
9. Die ___________________ (bräunen) Zwiebelringe geben Sie am Ende auf die Kässpatzn und servieren sie mit ___________________ (mischen) Salat.
10. Gut passt zu dieser Mahlzeit ein ________________ (kühlen) Weißwein.
11. Wenn Sie dazu eine Vorspeise und ein Dessert zubereiten wollen, dann nur etwas ganz Leichtes, da die Kässpatzn ein sehr ____________________ (sättigen) Gericht sind!

M6 Schenken oder Geschenke bekommen? – Partizipien als Adjektive

Kreuzen Sie die richtige Form des Partizips an.

1. Es gibt Untersuchungen, dass die ⊗ *schenkende*/○ *beschenkte* Person glücklicher ist als die, die ein Geschenk bekommt.
2. Wenn der illegale Handel mit dem Horn der Nashörner nicht gestoppt wird, gibt es bald keine Nashörner mehr auf der Erde und eine weitere ○ *aussterbende*/ ○ *ausgestorbene* Tierrasse.
3. Der zu Hilfe ○ *rufende*/○ *gerufene* Polizist konnte den Diebstahl schnell aufklären.
4. Ich habe keine Lust ins Kino zu gehen. Alle im Moment ○ *laufenden*/ ○ *gelaufenen* Filme interessieren mich leider überhaupt nicht.
5. Beim Kochen ist ein gut ○ *geschnittenes*/○ *schneidendes* Messer das A und O.
6. In einem Fußballspiel bringt die ○ *verlierende*/○ *verlorene* Mannschaft gegen Ende oft noch einmal ihre letzten Kräfte auf.
7. Obwohl sie sich so beeilt hat, hört sie gerade das Signal des ○ *abfahrenden*/ ○ *abgefahrenen* Zuges.
8. Er betrat das Haus und roch den Duft von frisch ○ *kochendem*/○ *gekochtem* Kaffee.

M7 Der tropfende Wasserhahn – Partizipien als Adjektive

Wie können Sie es kürzer sagen? Benutzen Sie Partizipien.

1. ■ Kannst du bitte den Wasserhahn, der tropft, reparieren?

   Kannst du bitte *den tropfenden Wasserhahn* reparieren?

   ● Gern, nur einen Moment bitte. Ich möchte das Programm, das gerade auf meinem Laptop läuft, nicht unterbrechen. Es dauert nur noch eine Viertelstunde.

   Ich möchte ______________________________

   ______________________ nicht unterbrechen.

2. ■ Bitte seien Sie hier in der Bibliothek leise, um die Studenten, die konzentriert arbeiten, nicht zu stören!

   ..., um ______________________________

   nicht zu stören!

   ● Natürlich, tut mir leid. Ich musste meinem Kollegen nur kurz die Version der Präsentation erklären, die korrigiert worden ist.

   ... Ich musste meinem Kollegen nur kurz ______________________

   ______________________ erklären.

3. ■ Hast du das schon gelesen? Die Partei, die regiert, hat den Gesetzesvorschlag der Opposition abgelehnt.

   ______________________ hat den Gesetzesvorschlag der Opposition abgelehnt.

   ● Wie schade – meiner Meinung nach wäre das für das Problem die einzige Lösung, die funktioniert.

   Wie schade – meiner Meinung nach wäre das ______________________

   ______________________ für das Problem.

N Präpositionen

N1 Aufgeschoben ist nicht aufgehoben? – temporale Präpositionen

Ergänzen Sie die passende Präposition aus dem Schüttelkasten.

am • im • für • über • außerhalb • ~~seit~~ • um ... herum • während • in • inmitten • zwischen • vor • bis • innerhalb • ab • ab • nach • von • bis • beim • ins

Paula hat (1) _seit_ Jahren (2) ______ morgens (3) ______ abends gearbeitet. Wieder geht sie kurz (4) ______ Mitternacht aus dem Büro nach Hause, als sie plötzlich denkt: „Nein, das kann nicht das Leben sein. (5) ____ morgen wird alles anders!"

Noch (6) ____ der Nacht packt sie einen Koffer. (7) ________ Frühstück (8) _____ nächsten Morgen schreibt sie ein paar E-Mails an ihre Kunden und informiert sie, dass sie (9) ______ Weihnachten nicht erreichbar sein wird. (10) ________ dem Frühstück fährt sie zum nächsten Reisebüro und (11) ______________ ihrer Wartezeit blättert sie ein paar Reisekataloge durch. Dann ist ein Mitarbeiter frei und sie kann ihn fragen, welche Länder (12) ________________ Juli und Dezember am meisten zu empfehlen sind. Er erkundigt sich, ob sie (13) ______ eine oder zwei Wochen verreisen möchte, denn bestimmte Reiseziele seien erst (14) ____ vier Wochen lohnend. Als sie ihm mitteilt, dass sie eher an ein halbes Jahr gedacht hätte, wird er ganz eifrig und sucht, wo sie am günstigsten (15) __________________ der Saison Urlaub machen könnte.

(16) ______________ eines halben Jahres seien auch verschiedene Kontinente möglich, wenn nicht sogar eine Weltreise! Er schlägt ihr einige Länder vor, die sie gut verbinden könne, und versichert ihr, dass sie sicherlich (17) ____ Weihnachten ________ wieder zu Hause sei. Nachdem sie zusammen (18) ______ zwei Stunden an einem Reiseplan gearbeitet, viele Flugverbindungen herausgesucht und Buchungen vorbereitet haben, klingelt (19) ____________ des Unterschreibens aller Unterlagen Paulas Handy. Einer ihrer wichtigsten Kunden ist am Apparat und bedrängt sie, dass er seine Geschäfte (20) ____ nächsten halben Jahr unbedingt mit ihr machen möchte, sonst müsse er zur Konkurrenz wechseln. Paula denkt kurz nach und beschließt dann, eine solch große Reise doch exakter planen zu wollen und sie besser (21) _____ nächste Jahr aufzuschieben ...

N2 Parcours – Präpositionen

Ergänzen Sie die korrekte Präposition.

1. Die wohl aufregendste Sportart, die _in_ einer Großstadt ausgeübt werden kann, heißt Parcours.
2. Man muss ausdauernd, mutig und kräftig dafür sein, denn es geht ______ alle Hindernisse, die eine Stadt zu bieten hat.
3. Gibt es einen Fluss, kann der Läufer das Ufer __________ joggen, dabei ____ die Brücken klettern, die ____ Weg stehen, und _____ der anderen Seite wieder _____ ihnen herabspringen.
4. ____ eine Mauer läuft der Parcours-Läufer nicht ________, sondern er springt darüber oder läuft ein Stück ____ ihr hoch, stößt sich dann ab, macht eine Rolle rückwärts und landet wieder _____ den Füßen.

5. Selbst _____ hohen Gebäuden macht er nicht Halt. Er findet immer einen Weg, wie er sich _____ Balkon ____ Balkon hochziehen kann __________ Dach, sich dort ________ Absperrungen durchschiebt, _____ das Dach des Hauses ______________ springt und _____ dort wieder _____ nächsten Straße kommt.
6. Er kriecht ________ Rohre, balanciert ______Geländern und geht nicht ____________ den Autos durch, sondern springt darüber – wie Tarzan ____ Großstadtdschungel!

N3 Schmuckstück an der Salzach – Präpositionen

Ergänzen Sie die passenden Präpositionen aus dem Schüttelkasten.

in • jenseits • entlang • auf • zum • an • in • unweit • trotz • inmitten • ~~entlang~~ • in • anlässlich • infolge • zwischen • wegen • dank • gegenüber • bei • oberhalb • unterhalb • angesichts • innerhalb • im • aufgrund

1. Den Fluss Salzach _entlang_ erstreckt sich eine wunderschöne alte Stadt, die 1 025 erstmals ____ einer Urkunde erwähnt wird: Burghausen.
2. ____________ der Salzach, die die Grenze ____________ den beiden Ländern bildet, liegt Österreich.
3. Die Altstadt, die ____ der Salzach ______________ des Burgbergs liegt, lässt den Besucher glauben, er sei bereits ____ Italien.
4. ____ den gemütlichen Kneipen und Musikkellern ____________ der Altstadt findet jedes Jahr ____ Frühling die Internationale Jazzwoche statt. ______________ dieses bekannten Events ist es möglich, Berühmtheiten der Jazzwelt in Burghausen zu hören.
5. ____________ der Altstadt, _____ dem Burgberg, liegt die längste Burg der Welt. Sie verläuft 1051 Meter den gesamten Bergrücken __________. __________ der exponierten Lage konnte sie ______einem Angriff bestens verteidigt und folglich nie erobert werden.
6. ______________des Burggeländes werden heute Wohnungen auch an Privatpersonen vermietet.

7. ________________ der Altstadt und der Salzach, durch den Burgberg getrennt, liegt der Wöhrsee, ein Altwasser der Salzach. ________ seiner langgezogenen Form ist er in kalten Wintern, wenn er zufriert, ideal ______ ausgedehnten Schlittschuhlaufen.
8. ___________ der Burg, auf derselben Höhe, liegt die Neustadt Burghausens, die ____________ des Anschlusses ans Eisenbahnnetz 1897 und der Gründung der Wacker-Chemie AG entstanden ist.
9. __________________ der vielen Arbeiterfamilien, die Wohnraum brauchten, waren in der Nähe der Industrieanlage Arbeitersiedlungen entstanden, die sich im Laufe der Zeit zur Neustadt ausweiteten.
10. Somit hat Burghausen viel zu bieten: _________ der Lage am sogenannten Chemiedreieck eine reiche Geschichte und eine malerische Altstadt, aber auch _________ der hier angesiedelten Industrie genug Beschäftigungsmöglichkeiten für Menschen, die sowohl Alt- als auch Neustadt lebendig halten.

O Pronomen

01 Traurig, traurig ... – Indefinitpronomen

Ergänzen Sie die Indefinitpronomen in der Negation.

1. ■ Kann mir bitte mal jemand helfen?
   ● Nein, gerade kann dir leider _niemand_ helfen.
2. ■ Jetzt suche ich schon seit einem halben Jahr eine Wohnung. Ich werde doch wohl irgendwo eine bezahlbare Wohnung für mich finden!
   ● Wenn du mich fragst, wirst du ______________________ etwas finden!
3. ■ Bist du eigentlich irgendwann mit dem Putzen fertig?
   ● Wenn die Kinder immer wieder mit ihren schmutzigen Schuhen durch die Wohnung laufen, werde ich ____________ fertig sein!

4. ■ Mir ist schrecklich langweilig. Weißt du nicht irgendetwas, was ich tun könnte?
   ● Mir fällt auch ________ ein. Lass uns einfach schlafen gehen ...
5. ■ Ich habe Hunger. Lass uns doch irgendwohin gehen und etwas essen!
   ● Wir haben aber kein Geld! Wir gehen ________________, wir machen uns zu Hause Spiegeleier!
6. ■ Weißt du was? Ich kündige und mache mein eigenes Geschäft auf! Das Geld dafür werde ich schon irgendwoher bekommen!
   ● Da täuschst du dich, das wirst du ________________ bekommen. Schließlich hast du schon 60 000 Euro Schulden!

Tipp

Die Indefinitpronomen *man, (k)einer/-e/-s, niemand, jemand* und *irgendwer* werden auch dekliniert. Dabei gibt es ein paar Besonderheiten:

man:	Akkusativ: *einen*	Dativ: einem
einer/-e/-s:	Plural: *welche*	
niemand/jemand:	Akkusativ: *niemand(en)/ jemand(en)*	Dativ: *niemand(em)/ jemand(em)*
irgendwer:	Akkusativ: *irgendwen*	Dativ: *irgendwem*

02 Träume – Indefinitpronomen

Ergänzen Sie die Indefinitpronomen aus dem Schüttelkasten.

irgendwohin • nirgends • keiner • ~~irgendwann~~ • keins • etwas • niemanden • irgendwen • einer • jemanden • niemand • irgendwo • nichts • nie • jemand

Wenn Sonja abends im Bus sitzt und aus der Arbeit nach Hause fährt, gehen ihre Gedanken auf Wanderschaft, wie alles besser sein könnte ...

„(1) Irgendwann einmal", denkt sie, „irgendwann werde ich nicht mehr zwischen tausenden von Menschen und Autos nach Hause fahren, sondern (2) ____________ auf dem Land leben. Und zu Hause wird (3) ____________ auf mich warten und uns (4) ____________ Feines zum Essen kochen. Am Wochenende könnten wir (5) ____________ einladen. Aber vielleicht kommt auch (6) ____________, das macht auch (7) ____________, denn dann muss ich mich um (8) ____________ kümmern. Und, werde ich ein Auto brauchen? Nein, ich glaube, ich brauche (9) ____________. Ich kann mit dem Fahrrad zum nächsten Bahnhof fahren, wenn ich (10) ____________ muss. Ich will einfach (11) ____________ mehr im Stau stehen!" Seufzend sieht sie aus dem Fenster und bemerkt verärgert, dass der Bus seit zehn Minuten an derselben Kreuzung wartet. Doch dann sieht sie (12) ____________ auf dem Bürgersteig stehen, der in ihre Richtung schaut und lächelt. Verwirrt dreht sie sich um, um zu sehen, wen neben oder hinter ihr er meinen könnte, doch da ist (13) ____________. Als sie wieder aus dem Fenster sieht, ist er (14) ____________ mehr zu sehen. Der Bus fährt weiter und hält nach ein paar Metern an der nächsten Station, wo nur (15) ____________ einsteigt und sich suchend umschaut ...

03 Das gibt's doch nicht! – *es* als Subjekt und *das* als Objekt

Verbinden Sie die Sätze bzw. Satzteile und ergänzen Sie das passende Pronomen.

1. Im Radio habe ich gehört,
2. Komm, lass uns nach Hause gehen.
3. In Chile hat es ein schweres Erdbeben gegeben.
4. In den Wintermonaten
5. Ich bin ganz sicher,
6. Es tut mir so leid,
7. Mein altes Handy ist kaputt und ich wollte mir noch mal das gleiche Handy kaufen, aber der Verkäufer hat gesagt,
8. Tanja hat mir erzählt,
9. Soll ich das Buch auch lesen? Kannst du mir kurz erzählen,
10. Wirklich? Du hast das nicht gewusst?
11. Kein Wunder, dass ich heute Rückenschmerzen habe.
12. Das ist meine Sache,

a) ______ habe ich gestern in den Nachrichten gehört.
b) dass ________ keine gute Idee ist.
c) wird ____ schon am Nachmittag dunkel.
d) ______ geht dich gar nichts an!
e) dass ____ ______ nicht mehr gibt!
f) dass es morgen stürmt.
g) ________ gibt ______ doch nicht!
h) Im Seminar gestern saß ich neben dem Fenster, und ____ hat die ganze Zeit gezogen!
i) dass ____ für dich im Moment richtig gut läuft in deinem Job – stimmt ______?
j) ich wollte ________ nicht!
k) worum ____ darin geht?
l) ____ ist schon spät.

1	2	3	4	5	6	7	8	9	10	11	12
f											

Tipp

‚das'	steht nach einem bekannten Inhalt.	
‚es'	als obligatorisches ‚es' (Subjekt) gehört fest zu einem Ausdruck.	
	Wetter und Natur:	es regnet/stürmt/hagelt/blitzt ...
		es wird hell/kalt ...
	Sinneswahrnehmung:	es stinkt/es brennt/es klopft/es schmeckt ...
	Persönliches Befinden:	es geht gut/es juckt/es tut weh ...
	Tages-/Jahreszeit:	es wird Nacht/Winter ...
	Feste Verbindungen:	es geht um/es kommt darauf an/es gibt ...

04 Meinen Sie es ernst mit der Fitness? – *es* als Subjekt oder Objekt

Wo fehlt in den Sätzen ein ‚es'? Fügen Sie es an den passenden Stellen wie im Beispiel ein!

1. Die Menschen, die *es* ↓ am Silvesterabend ernst meinen mit dem guten Vorsatz, im neuen Jahr schlanker und fitter zu werden, haben seit ein paar Jahrzehnten kein Problem in der Nähe eines der vielen Fitnessstudios zu finden, die *es* ↓ überall wie Sand am Meer gibt.

2. Wer eilig hat damit, zu sichtbaren Resultaten zu kommen, übertreibt manchmal mit dem Programm.

3. Die Fitness-Willigen, die planen, viermal pro Woche das Studio aufzusuchen, machen sich schwer, denn lässt sich in keinen Alltag integrieren, plötzlich in der Woche viermal zwei Stunden weniger zu haben.

4. Anfangs fehlt nicht an glaubwürdigen Ausreden, doch was bleibt, ist ein

   permanent schlechtes Gewissen.

5. Schließlich ist man leid und bemüht sich, die Mitgliedskarte im Geldbeutel ein

   paar Wochen zu ignorieren, bis man in unbestimmter Zukunft sicherlich wieder

   mehr Zeit hat.

6. Weniger wäre auch hier mehr, denn ist erwiesenermaßen so, dass Zeit

   braucht, bis sich neue Gewohnheiten etablieren.

7. Beginnt man nun mit einem Besuch im Fitnessstudio einmal pro Woche, kann

   viel leichter damit klappen, diesen Vorsatz auch in die Tat umzusetzen und sich

   daran zu gewöhnen.

P Partikel

P1 Das ist doch klar, oder? – Modalpartikel

Kombinieren Sie: Welche Bedeutung der Sätze rechts wird durch die Partikel ausgedrückt?

1. Hilf mir doch endlich!
2. Hast du denn kein Geld dabei?
3. Das ist ja wirklich gemein!
4. Komm doch mal her!
5. Das funktioniert ja wirklich!
6. Habt ihr denn Urlaub heute?
7. Das habe ich doch gern gemacht.
8. Das ist vielleicht eine unhöfliche Person!
9. Warte nur ab, das wird schon wieder.
10. Mach uns bloß keinen Ärger!
11. Dann müssen wir eben diese Woche länger arbeiten.
12. Wage es ja nicht, noch einmal meinen kleinen Bruder zu schlagen!

a) Ich hatte nicht gedacht, dass du so etwas machen könntest. Das enttäuscht mich sehr.

b) Du bist ein Genie! Ich hätte nicht gedacht, dass du dieses Ding reparieren kannst.

c) Siehst du nicht, dass ich Hilfe brauche?

d) Es ärgert mich wirklich sehr, wie diese Person sich benimmt.

e) Da kann man nichts machen – es gibt mehr Arbeit, und die muss erledigt werden.

f) Und ich hatte gedacht, du nimmst welches mit! Ich habe für uns beide zu wenig ...

g) Bleib ruhig, das ist sicherlich kein großes Problem. Alles wird gut.

h) Wenn du das noch einmal tust, wirst du die Konsequenzen spüren. Ich warne dich!

i) Kein Grund zu danken, ich habe wirklich gern geholfen.

j) Es dauert nicht lange, ich will dir nur kurz etwas zeigen.

k) Ich warne dich! Auch du musst dich an die Regeln halten!

l) Ihr liegt hier in der Sonne und ich dachte, ihr müsst im Büro sitzen!

1	2	3	4	5	6	7	8	9	10	11	12
c											

P2 Atmosphärisches – Modalpartikel

Ordnen Sie die Begriffe aus dem Schüttelkasten den Sätzen aus P1 zu. Was für eine Atmosphäre sollen die Partikel dem Satz geben?

freundliche Aufforderung • Ärger • interessierte Frage • ~~Aufforderung~~ • Warnung • überraschte Frage • Warnung • Überraschung • Resignation • Beruhigung • Ärger • Freundlichkeit

1. Hilf mir doch endlich! *Aufforderung*
2. Hast du denn kein Geld dabei? ______
3. Das ist ja wirklich gemein! ______
4. Komm doch mal her! ______
5. Das funktioniert ja wirklich! ______
6. Habt ihr denn Urlaub heute? ______
7. Das hat mir doch auch Spaß gemacht. ______
8. Das ist vielleicht eine unhöfliche Person! ______
9. Warte nur ab, das wird schon wieder. ______
10. Mach uns bloß keinen Ärger! ______
11. Dann müssen wir eben diese Woche länger arbeiten. ______
12. Wage es ja nicht, noch einmal meinen kleinen Bruder zu schlagen! ______

P3 Emotionales – Modalpartikel

Ergänzen Sie die passenden Modalpartikel aus dem Schüttelkasten.

doch • denn • ja • ja • bloß • schon • ~~doch~~ • einfach • einfach • ja • denn • denn • vielleicht • vielleicht • ja • denn • mal • schon • aber • einfach • doch • doch • doch • halt • vielleicht • eben • mal • doch • denn • denn • doch

1. ■ Das kann _doch_ nicht wahr sein! Luise, Anna! Wie sieht ________ die Küche aus?
   ● Wir haben ________ nur einen Kuchen gebacken, Mama!
   ■ Aber ist es __________________ möglich, danach aufzuräumen?
2. ■ Kannst du bitte ________ kurz kommen und mir bei der Aufgabe helfen? Ich versteh das _____________ nicht.
   ● Hast du ________ im Seminar nicht aufgepasst? Dr. Gebhard hat das _______ alles gut erklärt.
   ■ Ja, da dachte ich ____ auch, dass ich es verstanden hätte. Aber jetzt komme ich _____________ nicht auf die Lösung …
3. ■ Das ist ________ wirklich das Letzte! Hast du schon wieder meinen Lieblingsjoghurt aufgegessen?
   ● Deinen Lieblingsjoghurt! Glaubst du ________, der ist reserviert für dich? Dann musst du ________ deinen Namen draufschreiben! Das ist _____________ albern …
4. ■ Du hast ____ eine neue Frisur! Seit wann hast du die ________?
   ● Ich war ________ schon vor einer Woche beim Friseur! Hast du mich _______ seither nicht gesehen?
   ■ Nein, denn das wäre mir __________ aufgefallen! Sieht ________ wirklich gut aus!
   ● Mir ist es viel zu kurz, aber weg ist weg, da kann man _______ nichts machen …
   ■ Ach, die wachsen __________ wieder.
5. ■ Du liegst ____ schon wieder auf dem Sofa! Hast du ________ nichts zu tun?
   ● Ach, lass mich ________ in Ruhe! Ich hab _____________ keine Lust dauernd zu arbeiten. Das kann man ________________________ verstehen, oder?
   ■ Schon, aber du hast ________ nicht mehr viel Zeit. Geh ________ lieber ________ ein bisschen an die frische Luft!

Q Satz

Q1 Er läuft vor Wut sofort nach Hause. – Der Satz: Mittelfeld „Te-ka-mo-lo"

Ordnen Sie die Satzteile im Schüttelkasten in die passenden Spalten der Tabelle ein.

wegen seiner Eifersucht • aus Leichtsinn • in einer Stunde • schließlich • infolge des schweren Sturms • manchmal • in die Berge • immer • auf eine Party • allein • seit seiner Ankunft in Berlin • den ganzen Abend • ~~wegen eines Kollegen~~ • ans Wasser • aufgrund ihrer langen Krankheit • vor Wut • dank ihrer guten Noten • bis zu ihrer Versetzung • mit größter Mühe • problemlos • zu meinen Eltern • aus Holz • in die USA • gut gelaunt • sofort • unbedingt • glücklicherweise • auf den Baum • gelangweilt • mitsamt der ganzen Familie • ohne Interesse • vor lauter Angst • wöchentlich • nach Hause • aus Neugier • zum Karlsplatz • damals • an den Müritzer See • dorthin • aus seinem großen Verantwortungsgefühl • nach links • schwer erkältet • im Keller • nie • unters Bett • letzten Monat • bald • auf Deutsch

temporal	kausal	modal	lokal
	wegen eines Kollegen		

Tipp

Position 1: Hier steht das Subjekt oder eine betonte Angabe. In diesem Fall folgt das Subjekt dann gleich dem Verb:
Gestern Nacht ***konnte meine Tochter*** *wegen ihrer Erkältung lange* ***nicht einschlafen.***
Wegen ihrer Erkältung ***konnte meine Tochter*** *gestern Nacht lange* ***nicht einschlafen.***
Dativergänzung: Steht meistens vor der temporalen Angabe.
Akkusativergänzung: Steht hinter allen Angaben, manchmal jedoch vor der lokalen Angabe.
Ich habe dem Kunden sofort ausführlich in meinem Büro alle seine Fragen beantwortet.
Ich habe dem Kunden sofort ausführlich alle seine Fragen in meinem Büro beantwortet.

Q2 Alles an seinem Platz – Der Satz: Vor- und Mittelfeld

Bilden Sie korrekte Sätze und beginnen Sie mit dem markierten Satzteil.

1. aufgrund des schlechten Wetters / im Bett / schwer erkältet / er / liegen (Prät.) / seit seiner Ankunft in Deutschland

   Seit seiner Ankunft in Deutschland lag er aufgrund des schlechten Wetters schwer erkältet im Bett.

2. den ganzen Tag / die Kinder / in ihrem Kinderzimmer / wegen des Regenwetters / sich streiten / vor lauter Langeweile

   ____

3. Isabel / können (Prät.) / nur mit größter Mühe / etwas essen / vor ihrer Abschlussprüfung / vor lauter Angst

   ____

4. in die Berge / fahren / mitsamt ihrer ganzen Familie / nächste Woche / wegen ihres 50. Geburtstages / meine Schwester

   ____

5. nach ihrem Abitur / an der Universität / problemlos / dank ihrer guten Noten / sich einschreiben können (Prät.) / Hanna / für ein Medizinstudium

____

____

____

____

Q3 Die fünfte Jahreszeit in München – Temporalsatz: gleichzeitig, vorzeitig, nachzeitig

Wann passiert die Handlung im Nebensatz gleichzeitig mit der Handlung im Hauptsatz, wann ist sie vorzeitig (passiert zuerst) und wann nachzeitig (passiert später)? Ordnen Sie die Nummern der Sätze in die Tabelle ein.

gleichzeitig	vorzeitig	nachzeitig
		1

1. Bevor das Oktoberfest Ende September beginnt, werden monatelang die großen Bierzelte auf der Theresienwiese aufgebaut.
2. Bis zwei Wochen später das größte Volksfest der Welt wieder vorüber ist, werden etwa sechs Millionen Besucher über das Gelände strömen und in den Zelten feiern.
3. Seit im Oktober 1810 die Hochzeit von Kronprinz Ludwig und Prinzessin Therese auf einem Festplatz außerhalb der Stadt gefeiert wurde, ist es Tradition, alljährlich im Oktober ein großes Fest für das Volk zu veranstalten.
4. Während das Oktoberfest als großer Ausnahmezustand die Stadt überfällt, ziehen viele Münchner es vor, in dieser Zeit in den Urlaub zu fahren.
5. Solange die Zelte stehen, schlendern aber auch viele jeden Tag über die Theresienwiese und genehmigen sich eine Maß Bier.
6. Nachdem die Wirte der verschiedenen Brauereien mit prächtigen Pferdegespannen symbolisch ihre Fässer aus der Innenstadt in die jeweiligen Festzelte gebracht haben, findet der feierliche Anstich des ersten Bierfasses statt.
7. Sobald der Bürgermeister mit den Worten „O'zapft is!“ den ersten Anstich gemacht hat, fließen viele Millionen Liter Bier aus den Fässern.
8. Wenn in den letzten Jahren die Zeit des Oktoberfestes näher kam, sah man im Stadtbild von München immer mehr Menschen in bayerischer Tracht.

Q4 Die Zeit, mein Feind! – Temporalsatz

Markieren Sie den korrekten Konnektor.

(1) ☒ *Seit*/○ *Nachdem* ich denken kann, musste ich immer wieder feststellen, dass die Zeit grundsätzlich gegen mich arbeitet. Immer (2) ○ *als*/○ *wenn* etwas unangenehm war – ein Besuch beim Zahnarzt oder eine Mathematikprüfung in der Schule – tröpfelte sie langweilig vor sich hin, (3) ○ *sobald*/○ *seitdem* aber etwas aufregend, schön und wunderbar war, verging sie wie im Flug. Wirklich störend wurde diese der Zeit immanente Gemeinheit, (4) ○ *bevor*/○ *seitdem* es in meinem Leben Termine gab, die eingehalten werden mussten, Prüfungen, Abgabetermine von Hausarbeiten, Präsentationen usw. (5) ○ *Während*/○ *Bevor* die Wochen vor dem Termin noch langsam und ruhig einhergehen, fühle ich mich sicher, weil sie mir den Eindruck von großen Vorräten geben. Allerdings legen sie in Richtung Termin immer stärker an Tempo zu und
(6) ○ *wenn*/○ *bis* ich überhaupt verstehe, was da passiert, sind es nur noch ein paar Tage, die eigentlich nicht mehr wirklich aus 24 Stunden bestehen.
(7) ○ *Als*/○ *Nachdem* ich ein paarmal in meinem Leben diese Erfahrung gemacht hatte, dass auf die Zeit kein Verlass ist, bemühte ich mich diszipliniert um eine exakte Planung meiner Arbeit. (8) ○ *Ehe*/○ *Als* ich aber entdeckte, dass auch Zeitpläne nicht autoritär genug sind, um nicht von den Notwendigkeiten des Hier und Jetzt zur Seite gefegt zu werden, war für mich auch dieses Kontrollorgan der frei und willkürlich agierenden Zeit verloren.
(9) ○ *Bis*/○ *Sobald* ich in meinem Leben meinen letzten Termin einhalten muss, werde ich es wohl nicht mehr schaffen, mit der Zeit gut Freund zu werden ...

Q5 Die Schulzeit – temporale Zusammenhänge

Formen Sie die unterstrichenen nominalen Ausdrücke mit Präpositionen in verbale Ausdrücke mit Konnektoren um.

1. Vor dem Besuch der Grundschule sollte jedes Kind mindestens ein Jahr im Kindergarten verbracht haben.

   Bevor die Grundschule besucht wird, sollte jedes Kind mindestens ein Jahr im Kindergarten verbracht haben.

2. Während der vierten Klasse wird in einigen Bundesländern aufgrund der Noten entschieden, ob das Kind Mittelschule, Realschule oder Gymnasium besuchen wird.

3. Bei guten Noten kann das Abitur im Gymnasium erreicht werden, bei schlechten muss der Schüler oder die Schülerin auf eine andere Schule wechseln.

4. Gleich nach Erhalt des Mittlere-Reife-Zeugnisses bewerben sich einige Realschüler/-innen um Ausbildungsplätze, während die anderen auf der Fachoberschule weitermachen.

5. Bei der letztjährigen Verleihung der Abiturzeugnisse im Einstein-Gymnasium hielt der Schülersprecher eine viel beachtete Rede.

6. Nach Abschluss eines Schuljahres haben die Schüler/-innen sechs Wochen Sommerferien.

7. Seit der Einführung des achtstufigen Gymnasiums in Bayern wird dieses Konzept heftig diskutiert.

Q6 Bikram, Hatha, Ashtanga – oder wie? – Kausalsätze

Verbinden Sie die passenden Satzteile.

1. Die Anforderungen der modernen Welt sind anstrengend und vielfältig.
2. Yoga ist der Trend, der seit vielen Jahren mit steigender Tendenz diesem Bedürfnis gerecht wird.
3. Inzwischen sind es angeblich fast drei Millionen Deutsche, die Yoga praktizieren,
4. Dazu kommt das Bedürfnis nach einem gesunden und harmonischen Alter,
5. Allerdings hat diese Wandlung zur Massenbewegung einen schwierigen Weg hinter sich,
6. Die neue Yoga-Kultur ist zu einem großen Geschäft geworden.
7. Die Bandbreite dessen, was die Anhänger des Yoga erreichen wollen, von körperlicher Fitness bis zu einer bewussteren geistigen Haltung zum Leben, ist groß.

a) weil sie nach Stille suchen, die in der hektischen Welt von heute ein Luxusgut geworden ist.

b) denn die Gesellschaft wird zunehmend älter und fürchtet die Konsequenzen dieser Entwicklung.

c) Deshalb wird auch jedes Studio und jeder Yoga-Lehrende mit den unterschiedlichsten Angeboten seine Anhänger finden.

d) Deshalb haben viele Menschen eine tiefe Sehnsucht nach Ruhe und konzentriertem In-Sich-Spüren.

e) Deswegen schimpft manch ein Altmeister des Yoga auf das „Big Business“ und nimmt bewusst nur wenig Geld für seine Yogastunden.

f) Darum gibt es inzwischen eine Vielzahl an Yoga-Studios.

g) da sich noch im Jahr 1965 die Kirchen kritisch über die Infiltration der Menschen mit hinduistischem Gedankengut durch Yoga-Schulen äußerten.

1	2	3	4	5	6	7
d						

Q7 Bruno, der ‚Problembär' – kausal oder konzessiv?

Markieren Sie den passenden Konnektor.

1. Der erste Bär, der nach 170 Jahren wieder in Österreich und Bayern auftauchte, wurde bereits nach wenigen Wochen erschossen, ○ *trotzdem*/⊗ *obwohl* sich viele Tierschützer für sein Überleben eingesetzt hatten.
2. Der Bär erhielt in den Medien den Namen ‚Bruno' und wurde von der Bayerischen Staatsregierung als sogenannter Problembär eingestuft, ○ *da*/○ *selbst wenn* er mehrfach in der Nähe von Menschen Haus- und Nutztiere, besonders Schafe, tötete.
3. In vielen europäischen Ländern existiert ein Managementplan mit verschiedenen Maßnahmen zur Vertreibung eines Bären. ○ *Dennoch*/○ *Deswegen* ist es nicht ausgeschlossen, einen Bären zu töten, wenn er Menschen gegenüber aggressiv wird.
4. ○ *Da*/○ *Obwohl* das in diesem Fall nie passiert war, wurde die Erlaubnis zum Abschuss erteilt.
5. Wenn ein Raubtier in einen Stall oder eine Weide eindringt, löst der Fluchtversuch der Tiere seinen Tötungsreflex aus. ○ *Dennoch*/○ *Deshalb* tötet es immer mehr Tiere, als es fressen kann und gilt dann als mordlustig.
6. Der Protest der Tier- und Naturschützer gegen die erste Abschusserlaubnis war massiv, ○ *darum*/○ *trotzdem* wurde sie von der Bayerischen Staatsregierung wieder zurückgezogen.
7. Der Plan, den Bären lebend zu fangen und in einen Wildpark zu bringen, missglückte leider, ○ *auch wenn*/○ *weil* dazu Experten aus Finnland engagiert wurden.
8. Die professionellen Bärenjäger konnten aufgrund bürokratischer Fragen nicht sofort eingesetzt werden, ○ *obwohl*/○ *weil* erst geklärt werden musste, ob finnische Jäger in Deutschland oder Österreich eine Waffe tragen dürfen.
9. Der 12-tägige Einsatz kostete 30 000 Euro. ○ *Deswegen*/○ *Trotzdem* blieb er erfolglos, ○ *denn*/○ *da* hohe Temperaturen, schwieriges Gelände und häufige Ortswechsel des Bären ließen die Jäger nicht unter 600 Meter an ihn herankommen.
10. Nun steht der junge Bär ausgestopft im Museum ‚Mensch und Natur' in München, ○ *weil*/○ *auch wenn* sich viele Menschen aus Natur- und Umweltschutz für sein Überleben eingesetzt haben.

Q8 Eichhörnchen – adversativ oder konzessiv?

Ergänzen Sie die passenden Konnektoren aus dem Schüttelkasten.

auch wenn • dagegen • im Gegensatz zum • ~~obwohl~~ •
selbst wenn • dennoch • trotzdem • während

1. Obwohl das Eichhörnchen nur 200 bis 400 Gramm wiegt, erscheint es durch seinen großen buschigen Schwanz viel größer und auch schwerer.
2. Mit seinen langen, gebogenen Krallen findet es überall guten Halt, ____________ es kopfüber einen glatten Stamm hinunterläuft.
3. Eichhörnchen sind eigentlich Einzelgänger, ____________ leben sie manchmal auch in Gesellschaft.
4. Sie ernähren sich je nach Jahreszeit unterschiedlich. ____________ sie im Sommer Beeren, Früchte, aber auch Vogeleier, Jungvögel oder Insekten fressen, bleiben ihnen im Winter hauptsächlich Nüsse und Zapfen.
5. Sie legen sich im Herbst Vorräte für den Winter an. ____________ verhungern viele Tiere in harten Wintern.
6. ____________ sich die Eichhörnchen einige ihrer Verstecke gut einprägen können, sind sie doch oft nicht fähig, sich alle ihre Verstecke zu merken.
7. Die durchschnittliche Lebenserwartung von Eichhörnchen beträgt drei Jahre, ____________ können sie in Gefangenschaft bis zu 10 Jahre alt werden.
8. Das rote Europäische Eichhörnchen wird immer mehr durch das nordamerikanische Grauhörnchen verdrängt, weil dieses ____________ roten Eichhörnchen mit großer Sicherheit seine vergrabenen Nahrungsvorräte wiederfindet.

Tipp

Der Konnektor *‚während‘* kann **temporal** oder **adversativ** sein!

Temporal: Während sie die Oper Rigoletto hörte, putzte sie die Fenster.

Adversativ: Während sie ein leidenschaftlicher Opern-Fan ist, hört er am liebsten Heavy Metal.

Q9 Schlafstörungen – konsekutiv oder konditional?

Verbinden Sie die passenden Satzteile und ergänzen Sie – handelt es sich um einen Konsekutiv- oder einen Konditionalsatz?

1. Manche Menschen sind so überarbeitet,
2. Nachts schafft unser Gehirn Ordnung.
3. Auch nimmt man tatsächlich im Schlaf ab,
4. Das Immunsystem verliert an Widerstandskraft,
5. Auch Schlafstörungen können die Ursache sein,
6. Manchmal ist das Zimmer nicht dunkel genug,
7. Auch sind es manchmal Geräusche oder der Fernseher im Schlafzimmer,
8. Auch wer abends derartig viel Alkohol trinkt,
9. Wer nicht einschlafen kann und krampfhaft versucht, Schlaf zu finden, macht sich umso mehr Stress.
10. Ein gleichförmiger Schlafrhythmus ist ein wichtiger Faktor,

a) Folglich ist es besser, noch ein bisschen zu lesen oder Musik zu hören, bis man wirklich müde ist. (______________)

b) wenn man nicht zu viel und nicht zu wenig schläft. (______________)

c) dass er zwar schläfrig ist, aber nicht ruhig durchschlafen kann, verursacht die Schlafstörung selbst. (______________)

d) sodass der Schlaf gestört ist. (______________)

e) infolgedessen ein ruhiger Schlaf nicht möglich ist. (______________)

f) infolgedessen ein ruhiger und erholsamer Schlaf realistisch ist. (______________)

g) sofern der Schlaf dauerhaft gestört oder nicht ausreichend ist. (______________)

h) Infolgedessen kann man sich besser konzentrieren, wenn man genug und ruhig schläft. (______________)

i) dass sie nachts zwar todmüde sind, aber nicht schlafen können. (*konsekutiv*)

j) falls man sich tagsüber müde und gereizt fühlt. (______________)

1	2	3	4	5	6	7	8	9	10
i									

Tipp

Uneingeleitete wenn-Sätze beginnen unmittelbar mit dem Verb:
Wenn der Frühling kommt, braucht mein Auto Sommerreifen.
Kommt der Frühling, braucht mein Auto Sommerreifen.

Q10 Omas Hausmittel – Konditional- und uneingeleitete wenn-Sätze

Bilden Sie Sätze aus den vorgegebenen Satzteilen.

1. der Abfluss / verstopft sein / Backpulver und Essig / einwirken lassen / man / und / mit heißem Wasser / nachspülen

   Ist der Abfluss verstopft, lässt man Backpulver und Essig einwirken und spült mit heißem Wasser nach.

2. man / benutzen möchten / keine chemischen Putzmittel / sofern / man / wischen können / mit einem kleinen Stück Schmierseife / den Fußboden

   ____
   ____
   ____

3. zwei ausgepresste Zitronenhälften / in die Spülmaschine legen / man / sparen / man / den Klarspüler / und / ganz sauberes und duftendes Geschirr / bekommen

   ____
   ____
   ____

4. auf der Fensterbank / Tomaten- oder Basilikumpflanzen / wenn / stehen / nicht so viele Fliegen / ins Haus / kommen

   ____
   ____

5. auf dem Teppichboden / falls / Abdrücke bleiben / von Schrank- oder Tischbeinen / man / über Nacht / Eiswürfel / darauf legen / und / sie / am nächsten Tag / mit einem Handtuch / trocken reiben

   ____
   ____
   ____

C

Q11 Besuch beim Mann im Mond – dass-Satz oder Infinitiv mit *zu*

Formen Sie die dass-Sätze in Nebensätze mit Infinitiv und *zu* um.
Vorsicht: Das ist nicht bei allen Sätzen möglich!

1. Früher gehörte es in den Bereich der fantastischen Geschichten sich vorzustellen, dass man eines Tages vielleicht einmal auf dem Mond Urlaub macht.

   ... sich vorzustellen, eines Tages vielleicht einmal auf dem Mond Urlaub zu machen.

2. Doch die europäische Weltraumagentur Esa gibt an, dass sie in den nächsten zehn Jahren Mond-Dörfer errichten will.

3. Es wird davon gesprochen, dass diese auch Touristen zugänglich sein sollen.

4. Das Hindernis für die meisten Menschen wird sein, dass sie eine derartige Reise nicht finanzieren können.

5. Reisewillige müssen damit rechnen, dass sie einen Mondaufenthalt vermutlich nicht unter einer Million Euro bekommen.

6. Nachdem man weiß, dass eine „einfache" private Raumfahrt bereits um die 200 000 Euro kostet, bleibt zumindest der Preis tatsächlich utopisch.

7. Als Ausflugsziel ist denkbar, dass man eine Fahrt zum Apollo 11-Landeplatz unternimmt.

8. Dort bietet es sich an, dass man den legendären Fußabdruck von Neil Armstrong besichtigt.

____

____

9. Die Touristen könnten vielleicht auch versuchen, dass sie eine Führung auf den 5 500 Meter hohen Mont Huygens bekommen.

____

____

10. Einige Personen, die auf einer Messe interviewt wurden, gaben an, dass sie sich durchaus eine Reise zum Mond vorstellen könnten.

____

____

Tipp

Wenn Subjekt oder Objekt im Hauptsatz identisch mit dem Subjekt im dass-Satz sind, ist ein **Infinitiv mit *zu*** stilistisch besser.
Nicht möglich ist diese Umformung bei:
Verben des Wissens (wissen, vermuten, ...),
Verben des Sagens (sagen, berichten, erzählen, ...) und
Verben der Wahrnehmung (hören, sehen, lesen, bemerken, ...).

Q12 Reich, erfolgreich und glücklich – Modalsätze: *indem* und *dadurch, dass*

Formulieren Sie Sätze mit *indem* und *dadurch, dass*.

Wer träumt nicht davon, reich, erfolgreich und glücklich zu werden? Glaubt man diversen Coaches und erfolgreichen Managern, genügt es, die folgenden Punkte zu beachten:

1. Werden Sie sich darüber klar, was Sie wirklich wollen. Sie sollten Ihre Kraft und Energie konzentrieren.

   Sie sollten Ihre Kraft und Energie konzentrieren, indem Sie sich darüber klar werden, was Sie wirklich wollen.

   Sie sollten Ihre Kraft und Energie dadurch konzentrieren, dass Sie sich darüber klar werden, was Sie wirklich wollen.

2. Eine Liste kann Ihnen helfen. Sie sortieren darauf die Dinge nach Priorität.

3. Geben Sie niemals auf und zeigen Sie großes Durchhaltevermögen. Der Erfolg stellt sich ein.

4. Zeigen Sie auch einen gewissen Mut zum Risiko. Sie investieren in Aktien.

5. Ihr Unterbewusstsein hilft Ihnen bei der Verwirklichung dieses Zieles. Seien Sie davon überzeugt, dass Sie es verdienen, reich, erfolgreich und glücklich zu sein.

Q13 Verpflichtende Überstunden? – modale Zusammenhänge

Ergänzen Sie *dadurch, dass / ohne, dass / damit / indem* oder *anstatt*, und variieren Sie dann den Satz, wenn möglich, mit dem Infinitiv.

■ Unser Chef hat heute einfach Überstunden angeordnet, (1) *ohne dass* er das irgendwie begründet hat!

…, *ohne das irgendwie zu begründen!*

● Das kann er doch nicht machen! Soweit ich weiß, muss eine Notsituation vorliegen und nur (2) ______ Überstunden geleistet werden, die weitere Existenz des Betriebes sichergestellt sein.

______

■ Das dachte ich auch. Ich verstehe nicht, warum er das alleine beschlossen hat, (3) ______ sich erst einmal mit dem Betriebsrat ______.

● Aber so ein Schritt ist doch meines Wissens nur möglich, (4) ______ er sich vorher mit dem Betriebsrat bespricht, oder?

______

■ Ich denke auch. Ein Beschluss kann auf keinen Fall erfolgen, (5) ______ der Betriebsrat dem zustimmt.

______

● Warten wir mal ab. Morgen hat mein Chef auf jeden Fall eine Mitarbeiterkonferenz geplant, (6) ______ er mit allen diese Maßnahmen bespricht. Das zeigt doch zumindest Gesprächsbereitschaft!

______

______

Q14 Freiwillig und engagiert – Relativsätze mit *wer* und *der*

Formen Sie die Sätze um wie im Beispiel. Vorsicht: Manchmal können Sie einen weiteren Relativsatz anschließen. Setzen Sie das Relativpronomen in Klammern, wenn es nicht unbedingt nötig ist!

1. Jemand interessiert sich für Freiwilligenprojekte im Ausland. Er sucht im Internet nach entsprechenden Seiten.

   Wer sich für Freiwilligenprojekte im Ausland interessiert, (der) sucht im Internet nach entsprechenden Seiten.

2. Jemanden interessiert die Arbeit mit Tieren. Für ihn gibt es weltweit viele Projekte mit den verschiedensten Tieren.

   ____

   ____

   ____

3. Jemand möchte etwas Sinnvolles tun. Aber er ist schon über 30 Jahre alt. Er kann auch spezielle Freiwilligendienste finden. Sie brauchen gerade etwas ältere Menschen mit viel Erfahrung.

   ____

   ____

   ____

   ____

   ____

4. Aber jemand möchte sich lieber in sozialen Projekten engagieren. Für ihn gibt es unzählige Möglichkeiten im Gesundheitswesen, im Bereich Erziehung und Bildung oder der Betreuung von Kindern.

   ____

   ____

   ____

   ____

   ____

5. Jemand ist handwerklich begabt. Für ihn wären Wiederaufbau-Projekte in Erdbebengebieten oder Workcamps für Einzelprojekte geeignet. Sie sollen die Lebensqualität der Menschen in Entwicklungsländern verbessern.

____

____

____

____

____

____

6. Jemandem gefallen besonders exotische Tiere. Er kann zum Beispiel in Aufzuchtstationen in Südafrika oder Kenia helfen.

____

____

____

Tipp

Wenn *wer* und *der* im selben Kasus stehen, kann *der* entfallen:
Wer *noch nie im Ausland war,* ***(der)*** *weiß nicht, wie groß und vielfältig die Welt ist.*

Q15 Ein bisschen Heimweh – Relativsätze mit *wo, wohin, woher* und *was*

Ergänzen Sie das passende Relativpronomen. Gibt es Alternativen? Wenn ja, schreiben Sie sie in Klammern wie im Beispiel.

1. Die Stadt, woher (aus der) ich komme, liegt im Nordosten von Deutschland.
2. Ich bin dort aufgewachsen, deshalb gibt es in der ganzen Region nichts, _____ ich nicht gut kennen würde.
3. Es gibt dort viele Seen, ____________________ man fahren kann, um einen schönen Tag in der Natur zu verbringen, und ____________________ man auch gut baden kann.
4. In meiner Erinnerung ist alles, _____ ich dort in meiner Heimatstadt erlebt habe, schöner als das, _____ ich jetzt kenne.
5. Aber das ist wahrscheinlich etwas, _____ jedem so geht, der in seinem Heimatort eine glückliche Kindheit und Jugend verbracht hat.
6. Der alte Kirchplatz, ____________________ jeden Samstag ein großer Markt veranstaltet wurde, stammte noch aus dem 11. Jahrhundert.
7. Alles, _____ dort verkauft wurde, war aus der Region, und man wusste damals genau, __________ die Produkte kamen.
8. Dazu gab es im Garten meiner Eltern, ____________________ auch viele Obstbäume standen, alles, _____ die Familie an Gemüse brauchte.
9. An meinem Lieblingssee, ______________________________ ich fast jedes Wochenende fuhr, konnte man angeln.
10. Ich hatte dort einen Geheimplatz, ____________________ ich ganz sicher einen Fisch fing und zum Abendessen mitbringen konnte.
11. Was denken Sie: Träumt man immer so gern von dem Ort, ____________________ man aufgewachsen ist?

Q16 Wohnungen, Häuser & Co. – zweiteilige Konnektoren

Ergänzen Sie die passenden Konnektoren: ***nicht nur, sondern auch / sowohl – als auch / weder – noch / entweder – oder / einerseits, andererseits / zwar, aber***

1. Die Entwicklung auf dem Immobilienmarkt in unserer Stadt ist _weder_ vielversprechend _noch_ besorgniserregend. Vermutlich wird es in absehbarer Zeit keine Veränderungen geben.
2. Jasmina hat ________ kein Geld, ________ sie will sich trotzdem unbedingt einmal eine eigene Wohnung kaufen, um nicht mehr zur Miete wohnen zu müssen.
3. ____________________ möchte ich meinen Sommerurlaub für interessante Auslandsreisen nutzen, ________________________ ist es gerade in den Sommermonaten in meinem Garten am schönsten!
4. Das Haus kaufe ich bestimmt nicht. Es hat __________ einen Balkon _______ eine Terrasse, aber ich brauche unbedingt eine Möglichkeit, draußen zu sitzen!
5. Mein Chef hat ____________ einen alten Bauernhof in den Bergen ______________ eine schicke Altbauwohnung in der Stadt. Manche Leute können sich einfach alles leisten!
6. Mein Chef hat ____________________einen alten Bauernhof in den Bergen, (!) ________________________ eine schicke Altbauwohnung in der Stadt. Manche Leute können sich einfach alles leisten!
7. Liebling, entscheide dich. Wir kaufen __________________die Dachterrassenwohnung ________ die luxusrenovierte Altbauwohnung. Beides zu erwerben übersteigt sogar meine finanziellen Möglichkeiten!
8. ________________ die Wohnung ist komplett überteuert ________ sie ist bereits eine Stunde nach Erscheinen der Anzeige weg. Dieser Wohnungsmarkt hier ist eine Katastrophe!
9. __________habe ich wirklich keine Lust, auf dem Land zu leben, _______ die Immobilienpreise in der Stadt sind mir einfach zu hoch.

10. Vor dem Einzug in eine neue Wohnung muss man ______________ die erste Monatsmiete zahlen, ______________ noch die Kaution, ganz zu schweigen von den Umzugskosten. Danach ist man erst einmal pleite ...

11. ______________ ist der Erwerb einer Immobilie enorm kostenintensiv, ______________ ist das Geld, das man monatlich als Miete bezahlt, für immer verloren.

Q17 Das geht so nicht! – zweiteilige Konnektoren

Lesen Sie die folgenden Sätze und beurteilen Sie: Sind hier die zweiteiligen Konnektoren korrekt verwendet? Falls nicht, schreiben Sie die passenden Konnektoren in die Lücke dahinter.

Den modernen Menschen plagt heutzutage häufig das schlechte Gewissen, da er ~~weder~~ *sowohl* Luxus und Wohlleben genießen ~~noch~~ *als auch* ökologisch verantwortungsbewusst agieren möchte.

Entweder ______________ möchte er auf den Tauchurlaub auf den Malediven nicht verzichten, *oder* ______________ lastet der ökologische Fußabdruck solch einer Flugreise schwer auf ihm.

Natürlich gibt es auch genügend Menschen, die sich *sowohl* __________ über das eine *als auch* ________ über das andere viele Gedanken machen, und deren ökologisches Gewissen sich nicht rührt.

Auf der anderen Seite gibt es die gewissenhaften Kämpfer für eine bessere Welt, die *entweder* ____________ niemals ein Flugzeug betreten *oder* _______________ möglichst nur einmal pro Woche duschen wollen, um in jedem Lebensbereich ein Zeichen für wahres ökologisches Bewusstsein zu setzen.

Es ist *nicht nur* _________positiv, wenn die allumfassende Problematik unseres Lebensstils in den industrialisierten Ländern langsam ins Bewusstsein dringt, *sondern* ________ die Wege zur Lösung sind auch weit und beschwerlich.

Q18 Burn-out-Syndrom – Vergleichssätze: *je ... desto/umso*

Verbinden Sie die Sätze mit *je ... desto/umso*.

1. Die Menschen sind in ihrem Berufsleben stark belastet. Viele Arbeitnehmer bekommen ein Burn-out-Syndrom.

   Je stärker die Menschen in ihrem Berufsleben belastet sind, desto mehr Arbeitnehmer bekommen ein Burn-out-Syndrom.

2. Sie fühlen sich müde und antriebslos. Sie haben wenig Kraft und Energie für ihre Arbeit.

   ____

   ____

   ____

3. Jemand arbeitet lang ohne Ruhepausen oder Urlaub. Er kann schlecht entspannen, wenn er dann wirklich einmal Urlaub hat.

   ____

   ____

   ____

4. Nach Meinung einiger Psychiater ist Burn-out auch eine Modediagnose. Häufig wird Burn-out diagnostiziert. Leicht wird eine tiefergehende Depression übersehen.

____

____

____

5. Menschen neigen dazu, ihre Karriere über ihr Privatleben zu stellen. Das Burn-out-Syndrom wird in Zukunft häufiger auftreten.

____

____

____

Q19 So viel, wie du arbeitest! – Vergleichssätze *wie/als*

Markieren Sie die korrekte Lösung.

1. ■ Wenn wir nach Südamerika reisen, sollten wir mindestens vier Wochen einplanen.

   ● Ich werde aber nicht so viel Urlaub bekommen ⊗ *wie*/○ *als* du. Ich weiß auch nicht, ob ich überhaupt mehr ○ *wie*/○ *als* drei Wochen am Stück nehmen kann.

   ■ Aber das muss doch einmal gehen. So viel, ○ *wie*/○ *als* du normalerweise arbeitest und ständig Überstunden machst, musst du doch einmal im Jahr die Gelegenheit zu einem längeren Urlaub haben.

   ● Klar, aber länger ○ *wie*/○ *als* drei Wochen ist schon sehr außergewöhnlich.

2. ■ Oh je, der Film dauert viel länger, ○ *wie*/○ *als* ich gedacht habe!

   ● Sollen wir ihn trotzdem anschauen? Wenn er wirklich so seltsam ist, ○ *wie*/○ *als* es in der Kritik beschrieben wird, lohnt es sich vielleicht nicht ...

   ■ Meiner Erfahrung nach sind Filme oft besser, ○ *wie*/○ *als* die Kritiker sie beurteilen. Und umgekehrt!

3. ■ Im Jahresumsatz haben wir ein viel schlechteres Ergebnis erzielt, ○ *wie*/○ *als* uns letztes Jahr prognostiziert wurde.

   ● Wir haben aber auch deutlich weniger exportiert, ○ *wie*/○ *als* wir erwartet hatten.

   ■ Richtig, der Exportmarkt ist aufgrund der Entwicklung an den Börsen so stark eingebrochen, ○ *wie*/○ *als* ich es seit Jahrzehnten nicht mehr erlebt habe.

- Sollen wir im nächsten Jahr unseren Kurs so beibehalten, ○ *wie*/○ *als* wir bisher gewirtschaftet haben?
- Vorerst ja, doch wenn mehr Korrekturen notwendig sind, ○ *wie*/○ *als* wir es bis jetzt absehen können, müssen wir umgehend reagieren.

Q20 Der sterile Haushalt – irreale Vergleichssätze mit *als, als ob, als wenn*

Bilden Sie irreale Vergleichssätze wie im Beispiel.

1. (man / sehen / so manche Werbespots // es / einem vorkommen // als / wir / leben / in einem permanenten Kampf / gegen Bakterien)

   Sieht man so manche Werbespots, kommt es einem vor, als würden wir in einem permanenten Kampf gegen Bakterien leben.

2. (ein jeder / wohl / daran / Interesse haben // zu leben / in einer sauberen Umgebung // aber / die Werbung / so tun // als ob / man / erreichen können / dieses Ziel / mit bestimmten Produkten / nur)

3. (es / gezeigt werden / strahlend weiße Wäsche // als ob / gerade / sie / neu gekauft worden sein)

4. (Dusche und Waschbecken / so blitzen // als wenn / noch nie / sie / benutzt worden sein)

5. (die Werbung / ernst nehmen // man / sich so fühlen müssen // als / man / täglich / seinen Haushalt / schwer vernachlässigen)

Q21 Sieh es doch einmal positiv! – Negation

Verändern Sie die Aussage der Sätze in eine positive wie im Beispiel.

1. ■ Sie hat noch nie das Meer gesehen.
   ● Das glaube ich nicht. Sie hat sicher *schon einmal* das Meer gesehen.
2. ■ Im Kaufhaus ist niemand gekommen, um mich zu beraten.
   ● Wirklich? Bei mir ist immer __________ gekommen, um mich zu beraten.
3. ■ Dieses Ersatzteil für den Motorroller bekommt man nirgends.
   ● Ach was, ich bin sicher, dass ich das schon ____________ gesehen habe!
4. ■ Ich finde sicherlich nie mehr eine gute Arbeit.
   ● Doch, du findest bestimmt _______ deinen Traumjob!
5. ■ Ich schaffe diese Arbeit ganz bestimmt niemals!
   ● So ein Unsinn. Bis jetzt hast du es _________ geschafft!
6. ■ Ich kann nichts und ich weiß nichts ...
   ● Wie bitte? Ich habe schon so oft gesehen, dass du _________ kannst und gehört, dass du _________ weißt!
7. ■ Das sollten wir auf keinen Fall machen, das kann nicht gut gehen!
   ● Im Gegenteil, das sollten wir ______________________ machen, das ist die Chance!
8. ■ Heute in der Uni hat mich keiner gegrüßt ...
   ● Quatsch, ich habe doch gesehen, dass dich _________ gegrüßt hat!

Tipp

nicht steht am Ende des Satzes, wenn der ganze Satz verneint ist, aber …

vor einem verneinten Satzteil
vor dem zweiten Teil des Verbs
vor Akkusativ-Ergänzungen, die zum Verb gehören
vor einer Präpositionalergänzung
vor einer lokalen Ergänzung
vor einem Adjektiv, das sein oder werden ergänzt

Q22 Ein schlechtes Hotel – Negation: Stellung von *nicht*

Markieren Sie wie im Beispiel die Stelle im Satz, wo *nicht* stehen muss.

1. Wir fahren sicherlich * noch einmal in dieses Hotel.
2. Der Aufenthalt in diesem Hotel war wirklich schön.
3. Leider konnten wir das Schwimmbad auch benutzen.
4. Es war in der Zeit, als wir dort waren, geöffnet.
5. Der Manager des Hotels war auch vor Ort, sodass wir uns hätten beschweren können.
6. Wir konnten auch mit einer anderen Person sprechen.
7. Den Umzug in ein besseres Hotel dort konnten wir uns leider leisten.
8. Zum Glück war der Aufenthalt für lange Zeit, da wir nur 10 Tage gebucht hatten.
9. Der Urlaubsort hat uns eigentlich gut gefallen, wir wollen nur in diesem Hotel bleiben.
10. Außerdem wollen wir dieses Jahr mit dem Auto, sondern lieber mit dem Zug in Urlaub fahren.
11. Ich hoffe, dass mein Mann und ich zur selben Zeit Urlaub haben, sonst gelingt uns das.
12. Vielleicht werde ich einfach von zu Hause aus buchen, sondern erst etwas suchen, wenn wir angekommen sind.

Lösungen

Teil 1 Wortschatz

A Soziale Kontakte und Informationen zur Person

A1 (2) Konventionen (3) Anwesenden (4) betreten (5) Hierarchie (6) Vorgesetzten (7) Kunden (8) übliche (9) Gruß erwidert (10) förmlichen (11) salopp (12) entscheidet (13) üblich (14) drückt (15) schlaff (16) Gegenüber

A2 2. austauschen 3. meinen 4. erwidern 5. bitten 6. erklären

A3 (2) überreiche (3) angemessen (4) etablierte (5) Small Talk (6) Unternehmen (7) Messekontakten (8) Gastgeber (9) Austausch (10) gilt es ... zu beachten (11) Blickkontakt (12) dauert (13) keinesfalls

A4 1. Doktortitel, Wert auf ... legt 2. Beliebte, Kosenamen 3. Geburtsname, Mädchenname, annehmen, geborene 4. Spitznamen 5. Initialen 6. Zuname

A5 1. amtliche, zweifellos, lediglich 2. Anmeldeformular, Druckbuchstaben 3. Anmeldebestätigung(en), Gebühren erstattet, Teilnahmebestätigung 4. Aufenthaltsgenehmigung, beantragen 5. Steuern, einreichen, anfertigt, gewährt, Finanzamt 6. ändern, Namen ... führen, widerrufen, Bearbeitungsgebühr

A6 1. Anschreiben, Lebenslauf, Kopien 2. Immatrikulation, vorheriger, ist ..., bevollmächtigte, ... vorzunehmen 3. überweisen, Nachweis ... ist ... zu führen

A7 2. Witwe 3. kinderlos

A8 (2) übergewichtig (3) füllig (4) vollschlank (5) kräftig (6) Statur (7) korpulent (8) mager (9) hager (10) dürr

A9 2. Brille 3. elegant 4. unmodern

A10 2. zierlich 3. blass 4. glatt 5. schlank 6. blass 7. modisch 8. blond 9. abstehend 10. zierlich 11. faltig 12. Brille

A11 2. gut frisiert 3. dichtes 4. ungepflegtes 5. leger

A12 1. hingegen, unbeliebt 2. geduldig, gut gelaunt 3. Talent, begabt, Veranlagung 4. eingebildet 5. egoistisch 6. Attraktive, Charakter, treuen 7. distanziert 8. Eigenschaften, belastbar, anpassungsfähig 9. schlecht gelaunt

A13 2. rücksichtslos 3. aufgeregt 4. intolerant 5. unsensibel 6. brav 7. zurückhaltend 8. progressiv

A14 2. stur 3. sanft 4. schlau 5. mutig 6. frech

B Persönliche Beziehungen und Kommunikation

B1 (2) Umzug (3) Umzugskartons (4) uns ... eingelebt (5) Bekannte (6) eng befreundet (7) Bekanntschaften (8) vermisst (9) machen ... einen netten Eindruck (10) Freundschaft(en) ... geschlossen (11) Nachbarschaft (12) Spielkameraden (13) gebe ... meinen Einstand

B2 2. haben ein vertrautes Verhältnis 3. Netzwerke geknüpft hat, Kontakte ... pflegen 4. einen ... Freundschaftsdienst erwiesen 5. Läster, sich ... gut stellen 6. unterstützen ... sich ... gegenseitig 7. Kommt ... miteinander aus, bin ... zurechtgekommen 8. Beziehungen spielen lassen 9. wahrt ... Diskretion, anvertrauen

B3 1. ist ... befreundet 2. Ist ... Single, hat ... eine feste Beziehung 3. habe ... gern, ist ... mein Typ 4. Verhältnis

B4 2d 3f 4a 5c 6e

B5 (2) Verlobung (3) Eheversprechen abgegeben (4) gilt (5) nötig (6) Brauteltern (7) Kosten ... trugen (8) Spesen (9) verpflichtet (10) eingetragenen Partnerschaft (11) aufheben (12) reicht ... aus

B6 2b 3d 4e 5a

B7 (2) aggressiv (3) unerträglich (4) Vorgesetzte (5) unsicher (6) Aufgaben ... bewältigen (7) inkompetente (8) Dankbarkeit (9) Selbstbewusstsein

B8 1. Feigling 2. zögerte 3. sich ... für ... eingesetzt 4. schüchtern, Kontakte ... knüpfen

B9 (2) Vermeiden (3) steht im Passiv (4) derselbe (5) Ersatzteile (6) unpersönlich (7) dadurch (8) besser als (9) stellen ... in Rechnung (10) vermeidbares (11) berechnen ... Fahrtkosten (12) Wendung (13) unnötige (14) überflüssigen (15) unsinnig (16) optimale (17) Date (18) checken

B10 2. stammelte 3. flüstern 4. murmelte 5. tuschelten 6. jammert 7. seufzte 8. vorgesagt 9. lispelte

B11 2. plauderten 3. quasselst 4. hat gepetzt 5. prahlt 6. stottern

B12 2. kreischten 3. stöhnte 4. jubeln 5. quengelte 6. befahl 7. brüllen 8. grölten 9. zeterte 10. johlend 11. nörgelt

C Wohnen und Alltag

C1 (2) erschwinglichen (3) pendeln (4) Wohnungsnotstand (5) Wohnungsangebot (6) Ansprüchen (7) liegen auf der Hand (8) begehrten (9) frühzeitig (10) komfortabel (11) Wohngemeinschaften (12) anteilig (13) Untermieter (14) verhältnismäßig (15)dazugehörigen

C2 2e 3f 4c 5a 6b

C3 2. Reihenhäuser 3. Dachterrassenwohnung 4. Eigentumswohnung 5. Seniorenheim 6. Altbauwohnung 7. Mehrfamilienhäuser

C4 2. Neuankömmling 3. Flüchtling 4. Einheimischer 5. Zugezogener

C5 2. die vor Lärmbelästigungen schützen./in denen Lärm untersagt ist. 3. eingehalten werden./respektiert werden. 4. ist generell zumutbar./muss grundsätzlich hingenommen werden. 5. angekündigt werden./rechtzeitig mitgeteilt werden. 6. sind unwirksam./sind kein Verstoß gegen das Recht.

C6 (2) Konsum (3) Alters (4) Briefmarken (5) objekt (6) Wert (7) souvenirs (8) fieber (9) aufnahme (10) Material (11) charaktere (12) gut (13) Syndrom (14) zwang (15) Müll

C7 2. Ausdauer 3. Konkurrenz 4. Auktionen 5. Kataloge 6. Todesanze igen 7. Raritäten

C8 (2) lästiges Muss (3) Kleidung (4) naiv (5) angebliche (6) anstrengenden (7) im Preis herabgesetzter (8) ausgefallener (9) laufe ... ab (10) nichts finde (11) die falsche Bezeichnung (12) ein größerer Kauf (13) passen (14) die Hauptsache (15) verführen

C9 2. sinnlosen Kram 3. Schrott 4. Gerümpel 5. Krempel 6. Zeug 7. Ramsch

C10 2. verändern 3. aussortieren 4. erwerben

C11 (2) amerikanische (3) elektronischen (4) größten (5) ersten (6) innovativen (7) rasant (8) landesspezifische (9) deutsche (10) Mittlerweile (11) letztlich (12) unangefochten (13) Allerdings (14) bislang

D Gesundheit und Ernährung

D1 (2) Krankmeldung (3) sich mit ... versorgen (4) Bettruhe verordnet (5) mich krankgemeldet (6) niese (7) Genesung (8) verschlimmert (9) grippalen Infekt (10) heilungsfördernd (11) kommt auf ... an (12) Rückenbeschwerden (13) Beschwerden lindern (14) sich ... überanstrengen (15) fühle mich ... fit (16) Arbeitsunfähigkeitsbescheinigung (17) Attest (18) einen Rückfall erleiden (19) zur Arbeit erschienen bin (20) zulässig (21) vorzeitige (22) verantwortungsvoll (23) hat die Fürsorgepflicht (24) für ... Wohlergehen sorgen (25) anstecken (26) unter Umständen

D2 1. Facharzt, Hautarzt 2. Krebserkrankung vorliegt, Frauenärztin 3. HNO-Arzt 4. einen juckenden Hautausschlag, Kinderarzt 5. Herzinfarkt, Kardiologen 6. Radiologen, Bruch, Chirurgin 7. Orthopäden

D3 zu, Beschwerden, tut weh, dauern an, Symptome, ziehenden pochenden stechenden Schmerz, juckenden Ausschlag entzündete Insektenstiche, übertrieben Rücken Knie, geröntgt, Allergie, bakterielle Entzündung, Virusinfektion, entzündeter, Reiben ... ein, Antibiotikum

D4 (2) Fertiggerichte (3) Mikrowelle (4) Kohlenhydrate (5) Hülsenfrüchte (6) Durstempfinden (7) Konzentrationsfähigkeit (8) Herz-Kreislauf-Erkrankung (9) Wohlbefinden (10) körpereigenen Abwehrkräfte (11) Symptome (12) Übergewicht

D5 2. künstlich beatmet 3. Tumor, inoperabel 4. Narkose 5. steht ... unter Schock 6. bleich, in Ohnmacht fallen 7. Wunde, Narbe 8. Diagnose 9. ambulant, stationär aufnehmen 10. Infusion legen 11. Stichen 12. Verbandes

D6 2g 3a 4b 5d 6h 7e 8f

D7 (2) Wirkstoffe (3) Beschwerden (4) werfen ... vor (5) Placebo-Effekt (6) Wirksamkeit (7) Heilpraktiker (8) Akupunktur (9) Heilmethode (10) beseitigt (11) Erkrankungen (12) Osteopathie (13) Muskelverspannungen (14) Selbstheilungskräfte

D8 2. Kohlenhydrate 3. Speck 4. Fischstäbchen 5. Pfannkuchen 6. Gouda 7. Wasser mit Kohlensäure 8. Hackfleisch

D9 2. paniert/gebraten 3. raspeln/schneiden 4. durchgaren/durchbraten 5. salzen/würzen 6. frittiert/gesalzen

D10 2. naschen 3. hineinzuschlingen 4. Krümel, verputzt 5. Schmatz 6. fressen, um Futter ... betteln

D11 (2) vorgefertigten (3) zum Einsatz kommen (4) zugelassen (5) Organismus (6) Unverträglichkeiten ausgelöst (7) Zusatzstoffe (8) Vitamin (9) lagerfähig (10) Konservierungsstoff (11) als unbedenklich gilt (12) Babynahrung (13) Vorgaben (14) Umfang (15) steht im Verdacht (16) eingesetzt (17) beschränkt (18) allergische Reaktionen (19) konventionellen Landwirtschaft (20) Unkrautbekämpfung (21) nachgewiesen (22) krebserregend (23) Hefe (24) Duft (25) widerstehen (26) Backwaren

D12 1. geschätzt, Laut, verzehren 2. Nach Einschätzung, liegt ... im Trend, Veganer 3. Vegetarier, lebenden, verzichten, Meeresfrüchte 4. ernähren sich, Lebensweise, lehnen ... Fetten ... ab 5. Beweggrund, moralische, Massentierhaltung, Lebewesen, Schmerzempfinden

E Lernen und Arbeiten

E1 2c speichert 3d sich merken 4a behält im Gedächtnis

E2 2. Selbstvertrauen, zweitrangig. 3. treten, schließen. 4. bekanntlich 5. betreffenden, erweitert 6. Mentalitäten 7. Globalisierung, Kompetenz 8. unabdingbar, auswandern 9. steigert, Ansehen 10. optimales, geistig

E3 2. Aushilfe 3. Pizzabote 4. Bedienung 5. Taxifahrer 6. Zeitungsausträger 7. Babysitter 8. Nachhilfe 9. Messehostess 10. Komparse

E4 2. Ruhm 3. tüchtig 4. Hobbys 5. schaffen 6. Stationen 7. gebräuchlich 8. fantasievoll 9. verbergen 10. bei der Herstellung 11. regle 12. Abwechslung 13. ratlos 14. privaten 15. liebevollen 16. Küssen

E5 (2) Sportartikelfirma (3) studieren (4) Verbindung (5) Kombination (6) Bachelor (7) vielversprechend (8) Ausbildung (9) tätig (10) motiviert (11) Hörsaal (12) Auslandsaufenthalte (13) aufzubauen (14) Firmenalltag (15) Fußballstars (16) Kontakt (17) beurteilen (18) Azubi (19) praxisfern (20) Entscheidung

E6 Teilzeitarbeit D Gleitzeitarbeit F Telearbeit B Schichtdienst C Arbeit auf Abruf E
(2) Regel (3) verträge (4) verhältnis (5) zahl (6) Arbeits (7) wege (8) Arbeits (9) leben (10) tag (11) abschitte (12) bereich (13) Dienstleistungs (14) schicht (15) Wochenend (16) Vollzeit (17) Stunden (18) Arbeit (19) gewinn (20) Renten (21) Arbeit (22) lage (23) einsatz (24) Jahres (25) Arbeitszeit (26) vertrag (27) Zeit (28) Kern (29) zeit (30) Über

E7 2. Die Amtszeit des Betriebsrats beträgt vier Jahre. 3. Der Betriebsrat verhandelt zwischen Arbeitgeber und Arbeitnehmern. 4. Die Geschäftsführung wird vom Betriebsrat kontrolliert. 5. Der Betriebsrat überwacht die Einhaltung der Tarifverträge. 6. die Vereinbarkeit von Familie und Erwerbstätigkeit.

E8 (2) Entlassung (3) einzuteilen (4) Überforderung (5) gerät (6) Freiräume (7) entspannen (8) Prioritäten (9) gerichtet (10) erstellen (11) Vorrang (12) einzuschätzen (13) abzuhaken (14) Leistungskurve (15) Erholungspausen (16) Arbeitspensum (17) näher gerückt (18) Selbstwertgefühl

F Medien und Freizeit

F1 (2) boomt (3) Aspekte (4) Tatsache (5) realen (6) investiert (7) potenzielle (8) vollständig (9) Realitätsgefühl (10) gewalttätige (11) beurteilen (12) logische (13) zweifellos (14) kooperieren (15) differenzieren

F2 (2) verrennen (3) bedeutungslos (4) gespannt (5) zerstöre (6) ablehnenden (7) behält (8) Blogvorträge (9) besorgen (10) banale (11) Feindschaft (12) zu verheimlichen (13) veranstalten (14) abschließen (15) glücken (16) fragt

F3 2. Blogger 3. Blogeinträge 4. Meinungsbeiträge 5. bloggt 6. Internetportale 7. Informationsaustausch

F4 2. herstellen 3. verändern 4. anrufen

F5 (2) Online-Partnerbörsen (3) offen sagen (4) schlimm (5) Lebensgefährten (6) online (7) betrogen (8) leichtgläubig (9) Ausnahmefällen (10) hilfreich (11) bevorzuge (12) traditionelle (13) die letzte Option (14) sich bewusst sein (15) Partnervermittlung (16) extrem viel Geld verdient (17) nicht tatenlos abwarten (18) Zweifel (19) idealen Heiratskandidaten (20) Erwartungen (21) inzwischen (22) haben wir uns ineinander verliebt

F6 2. vorgetäuscht, vortäuschen 3. geschwindelt, schwindeln 4. geheuchelt, heucheln 5. hereingelegt, hereinlegen 6. ausgenutzt, ausnutzen

F7 2. Vortragsreihe 3. Vernissage 4. Premiere 5. Kabarett 6. Ausstellung 7. Eröffnungskonzert 8. Tennisturnier 9. Eishockeyspiel 10. Musikfestival

F8 2. führen 3. verwirklichen 4. vermisst

F9 (2) ins Leben gerufen (3) Kunstszene (4) Künstler (5) eingestuft (6) Jahrhunderts (7) gewaltig (8) Abständen (9) stetig (10) Gegenwartskunst (11) künstlerischen (12) anerkannte (13) prägen (14) bezeichnet

F10 2d 3f 4c 5b 6a

F11 2. Yoga 3. Weitsprung 4. Speerwerfen 5. Turnen

F12 (2) Kegelabend (3) Spielregeln (4) Varianten (5) Geschicklichkeit (6) Wurf (7) Löcher (8) Zeigefinger (9) Treffer (10) Nullrunde

G Mobilität und Reisen

G1 (2) in Betracht ... ziehen (3) vermeiden (4) praktiziert (5) Anbieter (6) verbreitet (7) kommerziellen (8) Mietwagen (9) registrieren (10) Benutzung (11) Konditionen (12) spezielle (13) Stundenpauschale (14) wiedererkennbar

G2 1. ergonomischen 2. Nackenkissen vorzubeugen 3. vermeidbar Halstuch 4. Wetterwechsel Zwiebelprinzip 5. erscheinen Nachhauseweg 6. Flüssigkeit dramatisch 7. Nahverkehr Kopfhörer 8. Freisprechanlage Ablenkung 9. beschäftigen Arbeitstag 10. Wegstrecke einzuplanen

G3 2. flexibel zu sein und sich auf Neues einstellen zu können. offen für die persönliche Weiterentwicklung zu sein. 3. eine Fernbeziehung zu führen. aufgrund von Dienstreisen unregelmäßig zu Hause zu sein. 4. trotz des Alters aktiv am Alltag teilnehmen zu können. geistig wach und rege zu sein.

G4 (2) Wissenschaft (3) Lehrling (4) beobachten (5) Spezialitäten (6) sinnvolle (7) ein Versteck (8) überprüfen (9) kompliziert (10) Abschluss (11) anmaßend (12) vermissen

G5 2e 3a 4c 5d

G6 2. B&B 3. Jugendherberge 4. Motel 5. Wohnwagen 6. Ferienwohnung 7. Frühstückspension

G7 2. versorgen 3. umsteigen 4. einreisen 5. ändern 6. entkommen

G8 1. Empfangs 2. raum, Speise 3. Mini, Gerät 4. kosten, zugang 5. bar, selbst 6. wunder, terrasse 7. eigenen, Bereich, Ruhe 8. gelegenheiten, nahe, haus

G9 (2) bieten sehr viel Platz (3) hilfsbereit (4) zu kritisieren (5) altes Hotel (6) renoviert (7) Positiv anzumerken (8) in Ordnung (9) abgewohnt (10) bemängeln (11) an der Rezeption (12) bestens auf Kinder eingestellt

G10 (2) Schweizer (3) italienische (4) einzigartig (5) weltberühmt (6) Wagons (7) erhöhen (8) ungehindert (9) Touristenattraktion (10) Brücken (11) beträgt (12) Meeresspiegel (13) bewältigt (14) Höhepunkt (15) begeistern

H Natur und Umwelt

H1 (2) Hektik (3) den Vorzug geben (4) kulturellen (5) Nachtleben (6) zwingend (7) erreichbar (8) Schattenseiten (9) verpestete (10) Natur (11) Lebensunterhalt (12) schmackhafter (13) in Kauf nehmen (14) abwägen (15) Alternative (16) erkennbar (17) siedeln ... an (18) langfristig

H2 (2) Mittelalter (3) betreiben (4) Wirtschaft (5) erfüllte (6) Geistern (7) geheimnisvoll (8) Malerei (9) verlaufen (10) Industrialisierung (11) Symbol (12) Waldsterben (13) besorgt (14) Schutzmaßnahmen (15) zentrales (16) Freizeitwert (17) ökologische (18) Waldkindergärten

H3 2. Kastanie 3. Wal 4. Birne 5. tauchen

H4 2. Urwald 3. Mischwald 4. Revier 5. Forst

H5 2. Ausblick 3. geheime 4. verringert 5. entgiften 6. Mäßige 7. vergrößern 8. gesetzliche 9. Vorbereitungen 10. grenzenlose

H6 2c 3a 4e 5d

H7 2. Schon früher hat man mit Windmühlen die Windkraft genutzt, um z. B. Getreide zu mahlen. Windräder werden sowohl an Land als auch im Wasser aufgestellt. 3. Seit Jahrhunderten wird mithilfe von Wasser Energie erzeugt. Die Energie entsteht durch die Strömung des Wassers, d. h. durch Bewegung. 4. Erdwärme, auch Geothermie genannt, ist Wärme aus der Tiefe der Erdoberfläche, mit der man heizen oder Strom erzeugen kann. Je tiefer man in die Erde vordringt, desto wärmer wird es. 5. Biomasse kann fest, flüssig oder gasförmig sein und dient der Wärme-, Strom- oder Treibstoffgewinnung. Aus Pflanzen wie Mais oder Raps wird z. B. Treibstoff hergestellt.

H8 2. Tsunami 3. Schneelawine 4. Vulkanausbruch 5. Dürre 6. Hochwasser 7. Orkan

H9 (2) Dauer (3) Eis (4) schmelze (5) Wasser (6) spiegel (7) Küsten (8) effekt (9) handel (10) Treibhaus (11) ausstoß (12) Vieh (13) Haupt (14) Zusammen (15) schutz (16) bereitschaft

H10 (2) Umweltzerstörung (3) zukünftige Generationen (4) hinterfragen (5) Meinung (6) erreichen (7) ist gefragt (8) respektvolle (9) grundsätzlich (10) handeln

I Behörden, Bankgeschäfte und andere Dienstleistungen

I1 (2) Wirkung (3) benötige (4) Steuerschuld ... beglichen (5) herkömmlichen (6) Bereitschaft (7) enorm (8) Mehreinnahmen ... verzeichnen (9) effektivsten (10) Steuermoral (11) entgingen ... Steuereinnahmen (12) Kassenzettel (13) vorlegen (14) Steuerhinterziehung (15) positiven Anreizen (16) Akzeptanz (17) Steuerbescheid (18) Einkommenssteuer (19) für einen wohltätigen Zweck ... spenden (20) Steuerzahlungen (21) Ruhestand (22) Anteil (23) zugutekommt (24) Mehrwertsteuer (25) Lotterielos (26) beharren ... auf

I2 2. bewilligt genehmigt 3. eingereicht gestellt abgelehnt 4. eingehalten versäumt 5. gewährt verlängert 6. erhalten vorgelegt

7. erbracht vorgelegt 8. verlangt vorgezeigt
9. entrichten bezahlen
10. eingehalten ignoriert

I3 1. Einlagen 2. IBAN-Nummer, Rechnung ... angewiesen 3. Kontoauszug, im Minus ist 4. Daueraufträge, Kontoführungsgebühren 5. habe ... Konto ... überzogen, Nachzahlung, abgebucht 6. Kredit aufnehmen 7. Rate, abbezahlt 8. Banktresor 9. eingegangen ist

I4 2. Insolvenz anmelden 3. in Konkurs gegangen 4. Laufzeit ... beträgt 5. Umsatz 6. Geld ... anzulegen, Immobilienfond 7. Börse mit Aktien spekuliert, Verluste gemacht

I5 2. negative 3. ablehnen 4. fallen 5. finanzkräftig

I6 2a 3f 4b 5c 6e

I7 (2) Geschäftsidee (3) Meerschweinchen (4) halten (5) logischerweise (6) zwangsläufig (7) endlose (8) Ableben (9) Copyshops (10) Kette (11) finanziert (12) umgerechnet

J Politik und Gesellschaft

J1

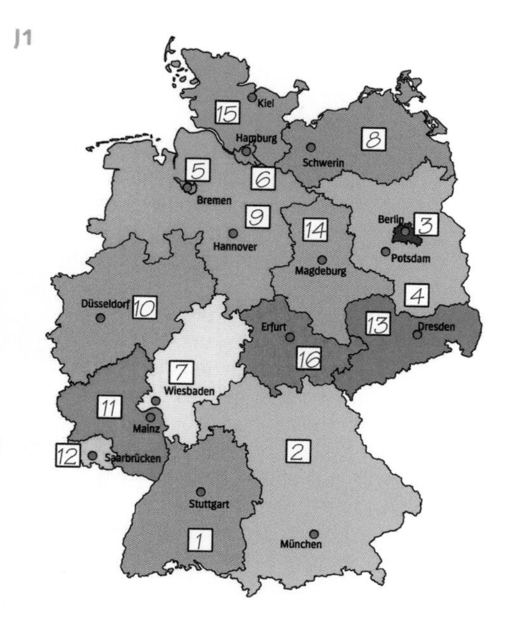

J2 (2) Bundesländer (3) einheitlich (4) regelt (5) Währungspolitik (6) Regierungen (7) Entscheidungen treffen (8) Bund (9) Föderalismus (10) Landkreise (11) spezifische (12) stellt ... dar (13) Schulpflicht herrscht (14) bestimmen (15) Instandhaltung (16) Gemeinden (17) Müllabfuhr

J3 (2) Deutschen Bundestag (3) im Wesentlichen (4) lenken (5) beeinflusst (6) Freiheiten (7) Arbeitnehmer (8) willkürlich (9) gefährden (10) Sozialleistungen (11) menschenwürdiges

J4 (2) Jobs anzunehmen (3) Probanden (4) zufällig (5) Bedingungen geknüpft (6) bedingungslose (7) versteuert (8) dazuverdienen (9) Versuchszeitraum (10) hegt ... Hoffnung (11) Sozialleistungsempfänger (12) Anreize ... schaffen (13) attraktiv (14) steuerliche Abzüge

J5 2. Rechtsanwalt 3. Prozesskosten ... tragen 4. Urteil anfechten 5. verhandelt, unter Ausschluss der Öffentlichkeit 6. Staatsanwältin, Angeklagten 7. verhören 8. Verteidigung 9. Prozess, Indizien, gemacht 10. zu ... Haft verurteilt 11. Strafverfahren, Freispruch

J6 (2) ein Auge zugedrückt (3) graben (4) zuzuschütten (5) führt zu (6) Verstöße ... geahndet (7) Bußgeld ... verhängt (8) Paragraph (9) Verbot (10) für ... ausgelegt sind (11) gelten Ausnahmen

Teil 2 **Grammatik**

K Verben

K1 2c 3a 4h 5g 6b 7d 8f

K2 (3) wäre ... gekommen (4) musste (5) leben (6) habe ... gefunden (7) wäre (8) können (9) hätte (10) könnte (11) verstehe (12) erlebt hätten (13) wären ... geflohen (14) weiß (15) erwartet (16) Haben ... bekommen (17) würde ... arbeiten (18) müsste (19) hätte ... sollen (20) hatte (21) habe (22) korrigiert hat (23) gehabt hätte (24) wäre (25) sprechen (26) wüsste (27) dauert (28) würde ... einkaufen (29) Geben (30) rufe ...an (31) ist

K3 2. keine Zeit zum Lernen hättest 3. nicht bekäme/bekommen würde 4. Teenager wärt 5. noch ein Gewitter gäbe/geben würde 6. wäre ich einen Marathon gelaufen 7. schon sehr lange kennen würden 8. würdest du mir nicht glauben 9. er eine Erkältung bekäme/bekommen würde 10. sie alles alleine machen müsste

K4 2. ... er sei vom 4. bis 6. November gar nicht in der Stadt gewesen. 3. ... er habe den Angeklagten am Morgen des 5. November im Café bedient. 4. ... jeden Morgen in seiner Bäckerei Brötchen kaufe ... am 2. November bei ihm eingekauft habe. 5. ... bei dem Fluchtauto um ihren Wagen handele, der ihr am Abend des 4. November gestohlen worden sei. 6. ... müsse eine andere Person mit dem Angeklagten verwechselt haben. ... sei sehr wahrscheinlich, da viele Personen dieses Café besuchen würden. 7. ... sie den Bankräuber eindeutig an seinen Haaren erkenne.
8. ... habe auch eine Waffe gehabt, mit der er sie bedroht habe. 9. ... er keine Waffe besitze und auch noch nie eine besessen habe.
10. ... die weitere Verhandlung auf den folgenden Montag vertagt werde.

K5 (2) entfernt wird (3) implantiert werden (4) wird ... geachtet (5) behandelt wurden (6) war ... entdeckt worden (7) wurden ... gezogen (8) durchgeführt (9) durchgeführt wurden (10) wurden ... gefunden (11) geschnitten worden war (12) genäht werden konnten (13) eingesetzt werden (14) motiviert wird (15) gestärkt wird (16) werden ... geschätzt

K6 2. von 3. durch 4. von 5. von 6. von 7. durch 8. von 9. durch 10. durch 11. durch 12. von 13. von 14. Durch

K7 2. Der Champagner ist schon kalt gestellt
3. Die Tische sind schon dekoriert
4. ... die Beleuchtung war schon installiert
5. ... die Kellner sind schon angewiesen
6. ... das war schon vorbereitet
7. ... die Tischkarten sind schon verteilt
8. Die zusätzlichen Garderobenständer sind schon aufgestellt
9. Der Rotwein ist schon geöffnet.
10. ... das Menü ist ... geliefert.

K8 2. ... lässt sich ersetzen. /... kann ersetzt werden. 3. ... kann nicht gelöst werden./... lässt sich nicht lösen. 4. ... kann leicht verletzt werden. 5. ... kann nicht gegessen werden./... darf nicht gegessen werden. 6. lässt sich nicht befahren./... kann nicht befahren werden.

K9 2d 3h 4a 5k 6b 7i 8c 9l 10g 11f 12j

K10 1. ... aber er bestand *darauf*/dabei, dass ich mich darum/*daran* halten muss ... Aber daran/*damit* musstest du doch rechnen! Du kannst dich nicht dafür/*darauf* verlassen ... Das kommt *davon*/davor, wenn man *auf*/über keine Party ... Weißt du, worüber/*worauf* ich jetzt gut verzichten kann? An/*Auf* eine Moralpredigt!
2. ... Du solltest mal *an*/mit einem Achtsamkeitstraining teilnehmen.
... Worüber/*Worauf* soll ich denn achten? Darüber/*Darauf*, *womit*/wofür du deine Zeit verbringst! Man übt sich *darin*/daran, im Hier und Jetzt zu leben und sich *darauf*/dafür zu konzentrieren ...
... Ich trinke lieber *auf*/für die Zukunft ...
3. ... könnten wir bitte kurz von dem/*über den* Verlauf Ihres aktuellen Seminars reden?
... *Worum*/Worüber geht es denn?
... mehrere Teilnehmer haben sich dafür/*darüber* beklagt, dass Sie allzu ausführlich mit einem Thema begonnen haben, *wovon*/woraus bereits ein gesamter Nachmittag ... Und sie drohten *damit*/darüber, sich *an*/auf das Management ... nicht *um*/für ein besser strukturiertes Programm ...
Das kann ich daran/*damit* entschuldigen ...
Ich habe mich *dazu*/darunter entschieden ...
Ich stehe dafür/*dazu*, und wer von den Teilnehmern sich nicht *mit*/bei einigen

Wiederholungen ... ich zwinge niemanden dafür/<u>dazu,</u> zu bleiben!

K11 2. ... kommt für mich nicht in Betracht. 3. ... stehe ich sehr unter Druck. 4. ... Rücksicht nehmen? 5. ... Gespräch führen 6. Das kommt nicht in Frage! 7. ... du stellst alles in Frage! 8. ... eine Frage stellen? 9. ... kein Verständnis aufbringen. 10. ... das nehme ich dafür gern in Kauf. 11. ... zur Sprache gekommen. 12. ... nicht an allem Kritik üben!

K12 2. kommen 3. stellen 4. spielen 5. tragen 6. kommen 7. nehmen 8. gehen 9. nehmen 10. stehen 11. stehen 12. ergreifen 13. stellen 14. leisten 15. aufbringen 16. üben 17. bewahren 18. stehen 19. nehmen 20. führen

K13 2. sich Gedanken machen 3. zur Sprache kommt 4. in Frage stellen 5. Verständnis aufzubringen 6. aus dem Weg gehen 7. ergreifen die Flucht 8. den Anfang machen 9. Kritik zu üben 10. unter Druck steht 11. in Kauf nehmen 12. Rücksicht nimmt

K14 2. Unsere Lehrerin wird sich nicht vorbereitet haben. 3. Das werden die letzten gewesen sein. 4. Ihr Mann wird sie jetzt endgültig verlassen haben, denn die Ehe war schon lange nicht mehr gut. 5. Sie wird verschlafen haben. 6. Nein, aber das wird nicht gut gegangen sein, oder? Das wird anfangs ein großer Skandal in der Adelsfamilie gewesen sein.

K15 2. Wölfe sollen Fisch als Nahrung bevorzugen, wenn sie die Wahl zwischen Fisch und Fleisch haben. 3. Eine Mücke, die einen Betrunkenen sticht, soll danach halb so viel Alkohol im Blut haben wie ihr Opfer. 4. An Wahltagen in Norwegen soll der Verkauf von Alkohol verboten sein. 5. Christopher Kolumbus soll Meerjungfrauen als hässlich und fett beschrieben haben, womit er vermutlich Seekühe meinte. 6. Die Milch von Delfinen soll einen Fettgehalt von 46 % haben.

K16 2. Vorschrift 3. Vermutung/Behauptung 4. Ratschlag 5. Vermutung/Behauptung 6. Ratschlag 7. Vorschrift 8. Ratschlag 9. Vermutung/Behauptung 10. Vorschrift 11. Ratschlag

K17 2. Ein Verbandskasten und ein Warndreieck sind in Deutschland und Österreich in jedem Auto mitzunehmen. 3. In der Schweiz hat das Warndreieck immer griffbereit zu sein, es ist also nicht im Kofferraum zu verstauen. 4. Verbandskasten und Feuerlöscher sind in der Schweiz nicht unbedingt mitzuführen. 5. Für Telefonieren am Steuer ist in Deutschland eine Strafe von 60 Euro zu bezahlen. 6. Bei Pannen und Unfällen haben die Autofahrer und die Mitfahrenden Warnwesten zu tragen, wenn sie das Auto verlassen. 7. Auf Autobahnen ist in der Schweiz nicht schneller als 120 km/h zu fahren, während in Deutschland kein Tempolimit einzuhalten ist.

L Nomen

L1 2. Ergänzung 3. Hilfe 4. Frage 5. Sicht 6. Angebot/Anbieter 7. Wunsch 8. Interesse/Interessent 9. Beschluss 10. Glaube 11. Forderung 12. Erwartung 13. Hoffnung 14. Beginn 15. Bitte 16. Geschmack 17. Verlust/Verlierer 18. Streit 19. Traum 20. Wissen 21. Reaktion 22. Produktion/Produzent

L2 2. der Beschluss der Partei, den Termin zu verschieben 3. der Verlust an Glaubwürdigkeit 4. die Reaktion der Wähler auf die Gesetzesänderung 5. der Glaube des Kandidaten an die Ideale des Sozialismus 6. die Bitte des Journalisten um einen Interviewtermin 7. der Bericht über das Problem aus der Sicht der Gewerkschaft 8. das Angebot der Opposition, die Regierung zu unterstützen 9. die Forderung der Partei nach einer schnelleren Bearbeitung der Asylanträge

L3 2. Bitte der Besitzer der Erdgeschoss-Wohnungen um Erneuerung der Terrasse zur Westseite 3. Zurückweisung der Bitte wegen Renovierung der Terrasse vor erst zwei Jahren 4. Beschwerde der Eigentümer zur Ostseite über zunehmenden Lärm durch die Neueröffnung einer Kneipe vor einem Jahr 5. Antrag auf frühere Schließungszeiten für die Kneipe durch die Eigentümergemeinschaft 6. Beschluss des Entwurfs eines Briefes durch die betroffenen Eigentümer mit Unterschrift von allen 7. Frage einer Eigentümerin nach baldiger Reparatur der hinteren Kellerabteile 8. Planung der Reparatur für den nächsten Monat 9. Diskussion über die Erneuerung der Wasserleitungen in den ersten Stock in diesem oder im nächsten Jahr 10. Vertagung der restlichen TOPs auf die nächste Versammlung wegen keiner endgültigen Antwort auf diese Frage

L4 2i 3a 4j 5b 6n 7c 8l 9g 10h 11e 12k 13m 14f 15p 16o

L5 (2) von (3) danach (4) nach (5) dabei (6) auf (7) über (8) um (9) nach (10) an (11) mit (12) davor (13) an (14) an (15) für (16) in (17) für (18) davor (19) darauf (20) zu

L6 der Fotowettbewerb die Arbeitssuche der Pressebericht die Frühlingsblume die Altertumsforschung die Produktionskette das Freundschaftsarmband der Veranstaltungskalender die Muttersprache der Diskussionspartner der Lebensraum die Gesichtscreme die Freiheitsstatue die Grammatikregel der Schwangerschaftsmonat der Tätigkeitsbericht die Zeitreise der Universitätseingang das Gesellschaftsspiel

L7 2. Die Gebrauchsanweisung für die Kaffeemaschine befindet sich im oberen Regalfach des Küchenschranks. 3. Die Baustellenfahrzeuge blockieren den Feierabendverkehr, sodass sich lange Autoschlangen bilden.
4. Der Tiermedizinstudent arbeitet in einer Versorgungsstation von verletzten Waldtieren.
5. Für die Abendvorstellung im Stadttheater findet der Kartenverkauf an der Theaterkasse oder über die Vorverkaufsstellen statt.
6. Über die Gerichtsverhandlung gibt es einen ausführlichen Pressebericht, der genau die Zeugenaussagen und die Urteilsverkündigung wiedergibt. 7. Die Geschwindigkeitsbeschränkung bei der Ortsdurchfahrt ist so unübersichtlich, dass sie zu häufigen Gesetzesübertretungen führt. 8. Im Biologieunterricht kann der Kakaoherstellungsprozess im Informationszentrum des Naturkundemuseums in der Stadtmitte gezeigt werden.

M Adjektive

M1 1. (2) von (3) zu (4) darauf (5) davon (6) mit (7) von (8) an (9) über (10) auf
2. (1) über (2) über (3) für (4) Für (5) davon (6) für (7) an (8) für (9) für (10) zu

M2 2. Bei wem, Bei 3. Womit, Mit 4. Wofür, Für 5. mit wem, Mit 6. wofür, Für 7. Worüber, Über 8. In wen, In 9. im, Worin 10. Wofür, Für 11. Wovon, vom

M3 2. daran 3. darauf, damit 4. Womit, für 5. für 6. an, darüber 7. von, für 8. davon, woran 9. darauf

M4 2. der Rücken, der schmerzt 3. das Obst, das geschnitten wurde 4. der Chef, der viel Stress hat 5. der Hund, der beißt 6. die Diskussion, die ermüdet 7. der Film, der die Jugend gefährdet 8. der Mond, der gerade untergeht 9. das Ei, das hartgekocht wurde 10. das Beispiel, das abschreckt 11. das Glas, das abgewaschen wurde 12. der Pullover, der selbst gestrickt wurde 13. das Parfüm, das duftet

M5 2. aufgeschlagene, gesiebten 3. vermischten 4. kochenden 5. gekocht 6. geriebenen, vorgeheizten 7. gekochten, geriebenen 8. geschnittene 9. gebräunten, gemischtem 10. gekühlter 11. sättigendes

M6 2. ausgestorbene Tierrasse 3. gerufene Polizist 4. laufenden Filme 5. schneidendes Messer 6. verlierende Mannschaft 7. abfahrenden Zuges 8. gekochtem Kaffee

M7 1. das gerade auf meinem Laptop laufende Programm 2. die konzentriert arbeitenden Studenten ..., die korrigierte Version der Präsentation 3. Die regierende Partei ..., die einzige funktionierende Lösung

N Präpositionen

N1 (2) von (3) bis (4) vor (5) Ab (6) in (7) Beim (8) am (9) bis (10) Nach (11) während (12) zwischen (13) für (14) ab (15) außerhalb (16) Innerhalb (17) um ... herum (18) über (19) inmitten (20) im (21) ins

N2 2. über 3. entlang, auf, im, auf, von 4. Um ... herum, an, auf 5. vor, von, zu, bis zum, unter, auf, gegenüber, von, zur 6. durch, auf, zwischen, im

N3 1. in 2. Jenseits, zwischen 3. an, unterhalb, in 4. In, inmitten, im, Anlässlich 5. Oberhalb, auf, entlang, Aufgrund, bei 6. Innerhalb 7. Gegenüber, Dank, zum 8. Unweit, infolge 9. Angesichts 10. Trotz, wegen

O Pronomen

O1 2. nirgendwo/nirgends 3. nie(mals) 4. nichts 5. nirgendwohin 6. nirgendwoher

O2 (2) irgendwo (3) jemand (4) etwas (5) irgendwen (6) keiner/niemand (7) nichts (8) niemanden (9) keins (10) irgendwohin (11) nie (12) jemanden (13) niemand/keiner (14) nirgends (15) einer

O3 a) Das b) das c) es d) Das e) es, das g) Das, 's/es h) es i) es, das j) das k) es l) Es
2l 3a 4c 5b 6j 7e 8i 9k 10g 11h 12d

O4 2. Wer es eilig hat damit, zu sichtbaren Resultaten zu kommen, übertreibt es manchmal mit dem Programm. 3. Die Fitness-Willigen, die planen, viermal pro Woche das Studio aufzusuchen, machen es sich schwer, denn es lässt sich in keinen Alltag integrieren, plötzlich in der Woche viermal zwei Stunden weniger zu haben 4. Anfangs fehlt es nicht an glaubwürdigen Ausreden, doch was bleibt, ist ein permanent schlechtes Gewissen. 5. Schließlich ist man es leid und bemüht sich, die Mitgliedskarte im Geldbeutel ein paar Wochen zu ignorieren, bis man in unbestimmter Zukunft sicherlich wieder mehr Zeit hat 6. Weniger wäre auch hier mehr, denn es ist erwiesenermaßen so, dass es Zeit braucht, bis sich neue Gewohnheiten etablieren. 7. Beginnt man nun mit einem Besuch im Fitnessstudio einmal pro Woche, kann es viel leichter damit klappen, diesen Vorsatz auch in die Tat umzusetzen und sich daran zu gewöhnen.

P Partikel

P1 2f 3a 4j 5b 6l 7i 8d 9g 10k 11e 12h

P2 2. überraschte Frage 3. Ärger 4. freundliche Aufforderung 5. Überraschung 6. interessierte Frage 7. Freundlichkeit 8. Ärger 9. Beruhigung 10. Warnung 11. Resignation 12. Warnung

P3 1. denn, doch, vielleicht 2. mal, einfach, denn, doch, ja, einfach 3. doch, denn, eben, vielleicht 4. ja, denn, doch, denn, schon, aber, halt, schon 5. ja, denn, bloß, einfach, ja vielleicht, doch, doch, mal

Q Satz

Q1 **temporal:** letzten Monat, bald, wöchentlich, in einer Stunde, damals, schließlich, nie, manchmal, immer, seit seiner Ankunft in Berlin, bis zu ihrer Versetzung, den ganzen Abend, sofort **kausal:** vor lauter Angst, aus Neugier, aufgrund ihrer langen Krankheit, aus Leichtsinn, in Folge des schweren Sturms, wegen seiner Eifersucht, vor Wut, aus seinem großen Verantwortungsgefühl, dank ihrer guten Noten **modal:** mit größter Mühe, problemlos, auf Deutsch, aus Holz, allein, gut gelaunt, unbedingt, glücklicherweise, gelangweilt, schwer erkältet, mitsamt der ganzen Familie, ohne Interesse **lokal:** nach Hause, zum Karlsplatz, an den Müritzer See, dorthin, nach links, ans Wasser, im Keller, in die Berge, zu meinen Eltern, auf eine Party, in die USA, unters Bett, auf den Baum

Q2 2. Wegen des Regenwetters streiten sich die Kinder den ganzen Tag vor lauter Langeweile/ vor lauter Langeweile den ganzen Tag in ihrem Kinderzimmer. 3. Vor ihrer Abschlussprüfung konnte Isabel vor lauter Angst nur mit größter Mühe etwas essen. 4. Nächste Woche fährt meine Schwester wegen ihres 50. Geburtstages mitsamt ihrer ganzen Familie in die Berge 5. Hanna konnte sich nach ihrem Abitur dank ihrer guten Noten problemlos für ein Medizinstudium an der Universität einschreiben.

Q3 gleichzeitig: 4., 5., 8. vorzeitig: 3., 6., 7. nachzeitig: 2.

Q4 (2) wenn (3) sobald (4) seitdem (5) Während (6) bis (7) Nachdem (8) Als (9) Bis

Q5 2. Während das Kind in die vierte Klasse geht, wird in einigen Bundesländern entschieden, ob es Mittelschule, Realschule oder Gymnasium besuchen wird. 3. Wenn der Schüler oder die Schülerin gute Noten hat, kann das Abitur im Gymnasium erreicht werden, wenn nicht, muss er oder sie auf eine andere Schule wechseln. 4. Sobald die Realschüler/-innen das Mittlere-Reife-Zeugnis erhalten haben, bewerben sich einige um Ausbildungsplätze, während die anderen auf der Fachoberschule weitermachen. 5. Als letztes Jahr die Abiturzeugnisse im Einstein-Gymnasium verliehen wurden, hielt der Schülersprecher eine viel beachtete Rede. 6. Nachdem ein Schuljahr abgeschlossen worden ist, haben die Schüler/-innen sechs Wochen Sommerferien. 7. Seitdem das achtstufige Gymnasium in Bayern eingeführt wurde, wird dieses Konzept heftig diskutiert.

Q6 2f 3a 4b 5g 6e 7c

Q7 2. da 3. Dennoch 4. Obwohl 5. Deshalb 6. darum 7. auch wenn 8. weil 9. Trotzdem, denn 10. auch wenn

Q8 2. selbst wenn 3. dennoch/trotzdem 4. Während 5. Trotzdem/Dennoch 6. Auch wenn 7. dagegen 8. im Gegensatz zum

Q9 2h konsekutiv 3b konditional 4g konditional 5j konditional 6d konsekutiv 7e konsekutiv 8c konsekutiv 9a konsekutiv 10f konsekutiv

Q10 2. Sofern man keine chemischen Putzmittel benutzen möchte, kann man den Fußboden mit einem kleinen Stück Schmierseife wischen. 3. Legt man zwei ausgepresste Zitronenhälften in die Spülmaschine, spart man den Klarspüler und bekommt ganz sauberes und duftendes Geschirr. 4. Wenn Tomaten- oder Basilikumpflanzen auf der Fensterbank stehen, kommen nicht so viele Fliegen ins Haus. 5. Falls auf dem Teppichboden Abdrücke bleiben von Schrank- oder Tischbeinen, legt man über Nacht Eiswürfel darauf und reibt sie am nächsten Tag mit einem Handtuch trocken.

Q11 2. ... gibt an, in den nächsten zehn Jahren Mond-Dörfer errichten zu wollen. 3. ***keine Umformung möglich*** 4. ... wird sein, eine derartige Reise nicht finanzieren zu können. 5. ... damit rechnen, einen Mondaufenthalt vermutlich nicht unter einer Million Euro zu bekommen. 6. ***keine Umformung möglich*** 7. Als Ausflugsziel ist denkbar, eine Fahrt zum Apollo 11-Landeplatz zu unternehmen. 8. ... es sich an, den legendären Fußabdruck von Neil Armstrong zu besichtigen. 9. ... auch versuchen, eine Führung auf den 5500 Meter hohen Mont Huygens zu bekommen. 10. ... gaben an, sich durchaus eine Reise zum Mond vorstellen zu können.

Q12 2. Eine Liste kann Ihnen helfen, indem Sie die Dinge nach Priorität sortieren. Eine Liste kann Ihnen dadurch helfen, dass Sie darauf die Dinge nach Priorität sortieren. 3. Der Erfolg stellt sich ein, indem Sie niemals aufgeben und großes Durchhaltevermögen zeigen. Der Erfolg stellt sich dadurch ein, dass Sie niemals aufgeben und großes Durchhaltevermögen zeigen. 4. Zeigen Sie auch einen gewissen Mut zum Risiko, indem Sie in Aktien investieren. Zeigen Sie auch dadurch einen gewissen Mut zum Risiko, dass Sie in Aktien investieren. 5. Ihr Unterbewusstsein hilft Ihnen bei der Verwirklichung dieses Zieles, indem Sie davon überzeugt sind, dass Sie es verdienen, reich, erfolgreich und glücklich zu sein. Ihr Unterbewusstsein hilft Ihnen dadurch bei der Verwirklichung dieses Zieles, dass Sie davon überzeugt sind, dass Sie es verdienen, reich, erfolgreich und glücklich zu sein.

Q13 (2) dadurch, dass/***keine Variation möglich*** (3) anstatt ... zu besprechen (4) indem/***keine Variation möglich*** (5) ohne dass/***keine Variation möglich*** (6) damit/... geplant, um mit allen diese Maßnahmen zu besprechen.

Q14 2. Wen die Arbeit mit Tieren interessiert, für den gibt es weltweit viele Projekte mit den verschiedensten Tieren. 3. Wer etwas Sinnvolles tun möchte, aber schon über 30 Jahre alt ist, (der) kann auch spezielle Freiwilligendienste finden, die gerade etwas ältere Menschen mit viel Erfahrung brauchen. 4. Aber wer sich lieber in sozialen Projekten engagieren möchte, für den gibt es unzählige Möglichkeiten im Gesundheitswesen, im Bereich Erziehung und Bildung oder der Betreuung von Kindern. 5. Wer handwerklich begabt ist, für den wären Wiederaufbau-Projekte in Erdbebengebieten oder Workcamps für Einzelprojekte geeignet, die die Lebensqualität der Menschen in Entwicklungsländern verbessern sollen. 6. Wem besonders exotische Tiere gefallen, der kann zum Beispiel in Aufzuchtstationen in Südafrika oder Kenia helfen.

Q15 2. was 3. wohin (an die), wo (in denen) 4. was, was 5. was 6. wo (auf dem) 7. was, woher 8. wo (in dem), was 9. wohin, (zu dem/an den) 10. wo (an dem) 11. wo (an dem)

Q16 2. zwar, aber 3. Einerseits, andererseits 4. weder, noch 5. sowohl, als auch 6. nicht nur, sondern auch 7. entweder, oder 8. Entweder, oder 9. Zwar, aber

10. nicht nur, sondern auch 11. Einerseits, andererseits

Q17 Einerseits andererseits
weder noch
sowohl als auch
zwar aber

Q18 2. Je müder und antriebsloser sie sich fühlen, umso weniger Kraft und Energie haben sie für ihre Arbeit. 3. Je länger jemand ohne Ruhepausen oder Urlaub arbeitet, desto schlechter kann er sich entspannen, wenn er dann wirklich einmal Urlaub hat. 4. Je häufiger Burn-out diagnostiziert wird, umso leichter wird eine tiefergehende Depression übersehen. 5. Je mehr Menschen dazu neigen, ihre Karriere über ihr Privatleben zu stellen, desto häufiger wird Burn-out in Zukunft auftreten.

Q19 1. als, wie, als 2. als, wie, als 3. als, als, wie, wie, als

Q20 2. Ein jeder hat wohl Interesse daran, in einer sauberen Umgebung zu leben, aber die Werbung tut so, als ob man dieses Ziel nur mit bestimmten Produkten erreichen könnte. 3. Es wird einem strahlend weiße Wäsche gezeigt, als ob sie gerade neu gekauft worden wäre. 4. Dusche und Waschbecken blitzen so, als wenn sie noch nie benutzt worden wären. 5. Nimmt man die Werbung ernst, muss man sich so fühlen, als würde man seinen Haushalt täglich schwer vernachlässigen.

Q21 2. jemand 3. irgendwo 4. noch 5. immer 6. etwas, etwas 7. auf jeden Fall 8. jeder

Q22 2. Der Aufenthalt in diesem Hotel war wirklich nicht schön. 3. Leider konnten wir das Schwimmbad auch nicht benutzen. 4. Es war in der Zeit, als wir dort waren, nicht geöffnet. 5. Der Manager des Hotels war auch nicht vor Ort, sodass wir uns hätten beschweren können. 6. Wir konnten auch nicht mit einer anderen Person sprechen. 7. Den Umzug in ein besseres Hotel dort konnten wir uns leider nicht leisten. 8. Zum Glück war der Aufenthalt nicht für lange Zeit, da wir nur 10 Tage gebucht hatten. 9. Der Urlaubsort hat uns eigentlich gut gefallen, wir wollen nur nicht in diesem Hotel bleiben. 10. Außerdem wollen wir dieses Jahr nicht mit dem Auto, sondern lieber mit dem Zug in Urlaub fahren. 11. Ich hoffe, dass mein Mann und ich zur selben Zeit Urlaub haben, sonst gelingt uns das nicht. 12. Vielleicht werde ich einfach nicht von zu Hause aus buchen, sondern erst etwas suchen, wenn wir angekommen sind.

Reihenweise Hilfe beim Deutschlernen!

deutsch üben, die Reihe für Anfänger zum Üben, für Fortgeschrittene zur gezielten Wiederholung. Sämtliche Bände verwendbar für Selbstlerner und als Zusatzmaterial zu jedem Lehrbuch.

deutsch üben:

Band 1
„mir" oder „mich"?
Übungen zur Formenlehre
ISBN 978–3–19–007449–5

Band 3/4
Weg mit den typischen Fehlern!
Teil 1: ISBN 978–3–19–007451–8
Teil 2: ISBN 978–3–19–007452–5

Band 5/6
Sag's besser!
Arbeitsbücher für Fortgeschrittene
Teil 1: Grammatik
ISBN 978–3–19–007453–2
Teil 2: Ausdruckserweiterung
ISBN 978–3–19–007454–9

Band 7
Schwierige Wörter
Übungen zu Verben, Nomen und Adjektiven
ISBN 978–3–19–007455–6

Band 8
„der", „die" oder „das"?
Übungen zum Artikel
ISBN 978–3–19–007456–3

Band 9
Wortschatz und mehr
Übungen für die Mittel- und Oberstufe
ISBN 978–3–19–007457-0

Band 10
Übungen zur neuen Rechtschreibung
PDF-Download
ISBN 978-3-19-897458-2

Band 11
Wörter und Sätze
Satzgerüste für Fortgeschrittene
ISBN 978–3–19–007459–4

Band 12
Diktate hören – schreiben – korrigieren
Mit 2 Audio-CDs
ISBN 978–3–19–007460–0

Band 13
Starke Verben
Unregelmäßige Verben des Deutschen zum Üben & Nachschlagen
ISBN 978–3–19–007488–4

Band 14
Schwache Verben
Unregelmäßige Verben des Deutschen zum Üben & Nachschlagen
ISBN 978–3–19–007489–1

Band 15
Präpositionen
ISBN 978–3–19–007490–7

Band 16
Verb-Trainer
Das richtige Verb in der richtigen Form
ISBN 978-3-19-107491-3

Band 17
Adjektive
ISBN 978–3–19–107450–0

deutsch üben – Taschentrainer:

Präpositionen
ISBN 978–3–19–007493–8

Wortschatz Grundstufe
A1 bis B1
ISBN 978–3–19–057493–3

Unregelmäßige Verben
A1 bis B1
ISBN 978–3–19–157493–2

Zeichensetzung
PDF-Download
ISBN 978-3-19-117493-4

Artikel
ISBN 978–3–19–207493–6

»Das Gleiche ist nicht dasselbe!«
Stolpersteine der deutschen Sprache
ISBN 978–3–19–257493–1

Briefe, E-Mails & Co.
Beispiele und Übungen
ISBN 978–3–19–307493–5

Fit in Grammatik A1/A2
ISBN 978–3–19–357493–0

Fit in Grammatik B1
ISBN 978–3–19–607493–2

www.hueber.de/deutsch-lernen

Hueber Freude an Sprachen